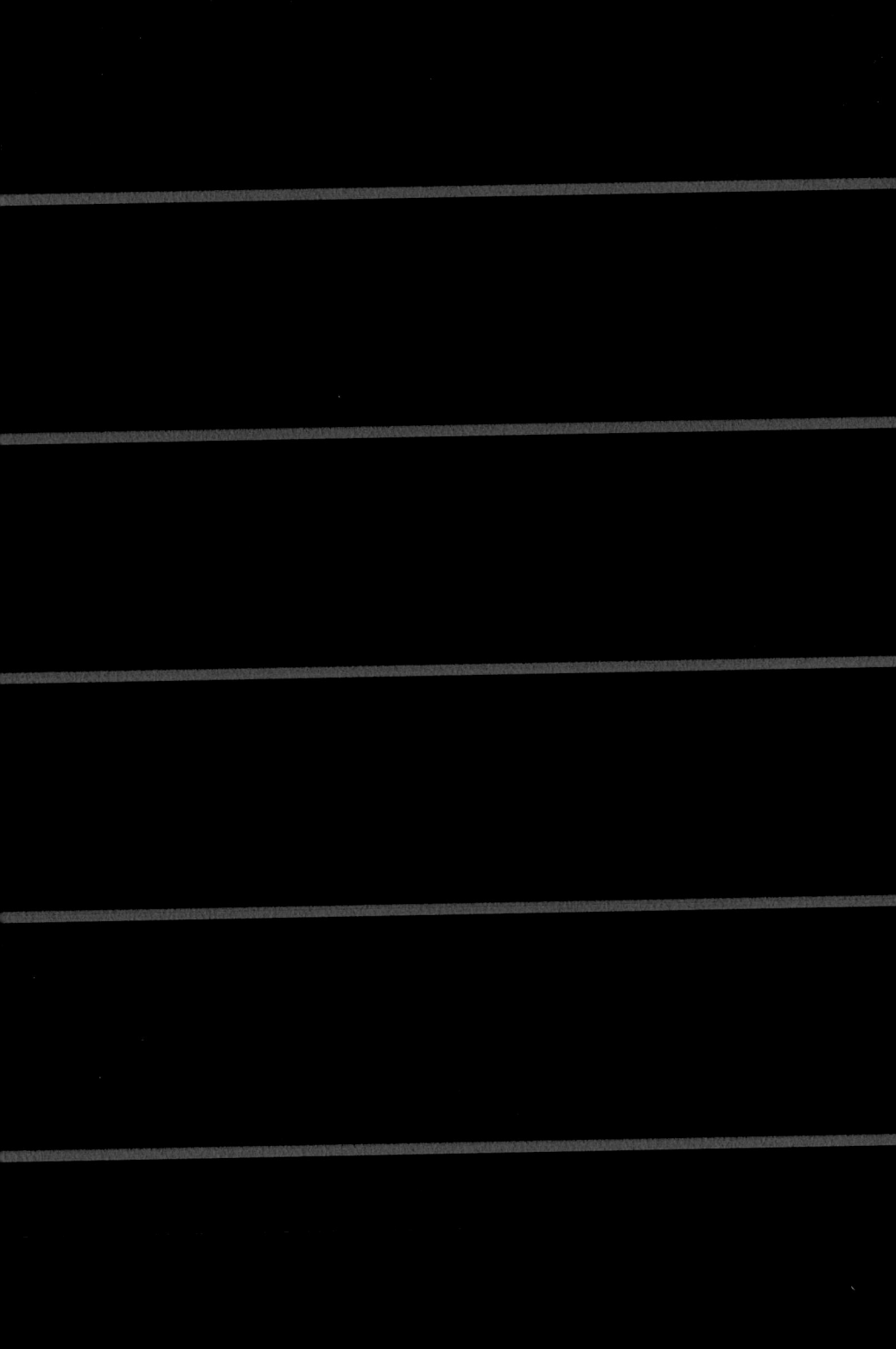

はじめに

バルト海の東に位置する
エストニア、ラトビア、リトアニアの三国は
森と湖に囲まれた自然豊かな国々
そこに暮らす人々は素朴で温かく
何よりも歌と踊りを愛している

私が最初に訪れたのは、
エストニアとリトアニアで
歌と踊りの祭典が開催された年
4〜5年に一度しか行われないこの祭りを
見逃してはならないと思った
実際に行ってみると、想像を上回るスケール
清らかな歌声と軽やかな踊りに魅せられた

私を魅了したものは、ほかにもある
長きに渡り技を磨いてきた
マイスターたちの手工芸品の数々
精緻に編まれたミトンやカゴ

古い織機でていねいに織られた手織物
どれもが丹精込めた手づくり
雑貨もかわいいものであふれている
街には小さな雑貨店が点在し
個性的で愛らしい小物に
夢中にならずにはいられなかった

中世の街並みも私のお気に入り
石畳が続く旧市街に足を踏み入れると
空高く聳える教会の尖塔や
ひしめき合う石壁の建物が目の前に現れる
一瞬にして時を越え、時代は中世へ
昔と今がクロスする、そんな魅力的な国々で
私が見たり聞いたりしたことを
ページをめくりながら
同じように感じてもらえたら
これほど幸せなことはない

もくじ

はじめに ― 2
バルト三国全体図 ― 6

エストニアはどんな国？ ― 8

タリン旧市街マップ ― 10
ショップでカワイイをゲットする！ ― 12
おいしい旅カフェ×旅ごはん ― 26
ローカル満喫！マーケットでお買いもの ― 36
エストニア野外博物館 ― 40
愛国心あふれる歌と踊りの祭典 ― 46
タリンのクリスマス・マーケット ― 52
シルリさんちのクリスマス ― 58
手しごとを愛する人たち ― 60
column マッド・トリートメント ― 65
キフヌ島の素朴な暮らし ― 74
エストニアのお土産 ― 82
タリンのホテル ― 84

ラトビアはどんな国？ ― 86

リガ旧市街マップ ― 88
ショップでカワイイをゲットする！ ― 90
おいしい旅カフェ×旅ごはん ― 96
ローカル満喫！マーケットでお買いもの ― 102
column ユーゲントシュティール建築 ― 104
ラトビア野外民俗博物館 ― 106
にぎやかに祝う冬至祭 ― 110

4

リガのクリスマス・マーケット	114
アンナさんちのクリスマス	120
手しごとを愛する人たち	122
ラトビアのお土産	126
リガのホテル	128

リトアニアはどんな国？ ── 130

ヴィリニュス旧市街マップ	132
ショップでカワイイをゲットする！	134
おいしい旅カフェ×旅ごはん	144
ローカル満喫！マーケットでお買いもの	152
リトアニア民俗生活博物館	154
愛国心あふれる歌と踊りの祭典	158
column バルティカ	161
リトアニアのハンドクラフト	162
ヴィリニュスのクリスマス・マーケット	168
手しごとを愛する人たち	172
十字架の丘で祈りを捧げる	176
杉原千畝の命のビザ	178
ヴィリニュスのホテル	181
リトアニアのお土産	182

バルト三国おいしいもの	184
旅の便利帖	186
旅の会話手帖	188
あとがき	190

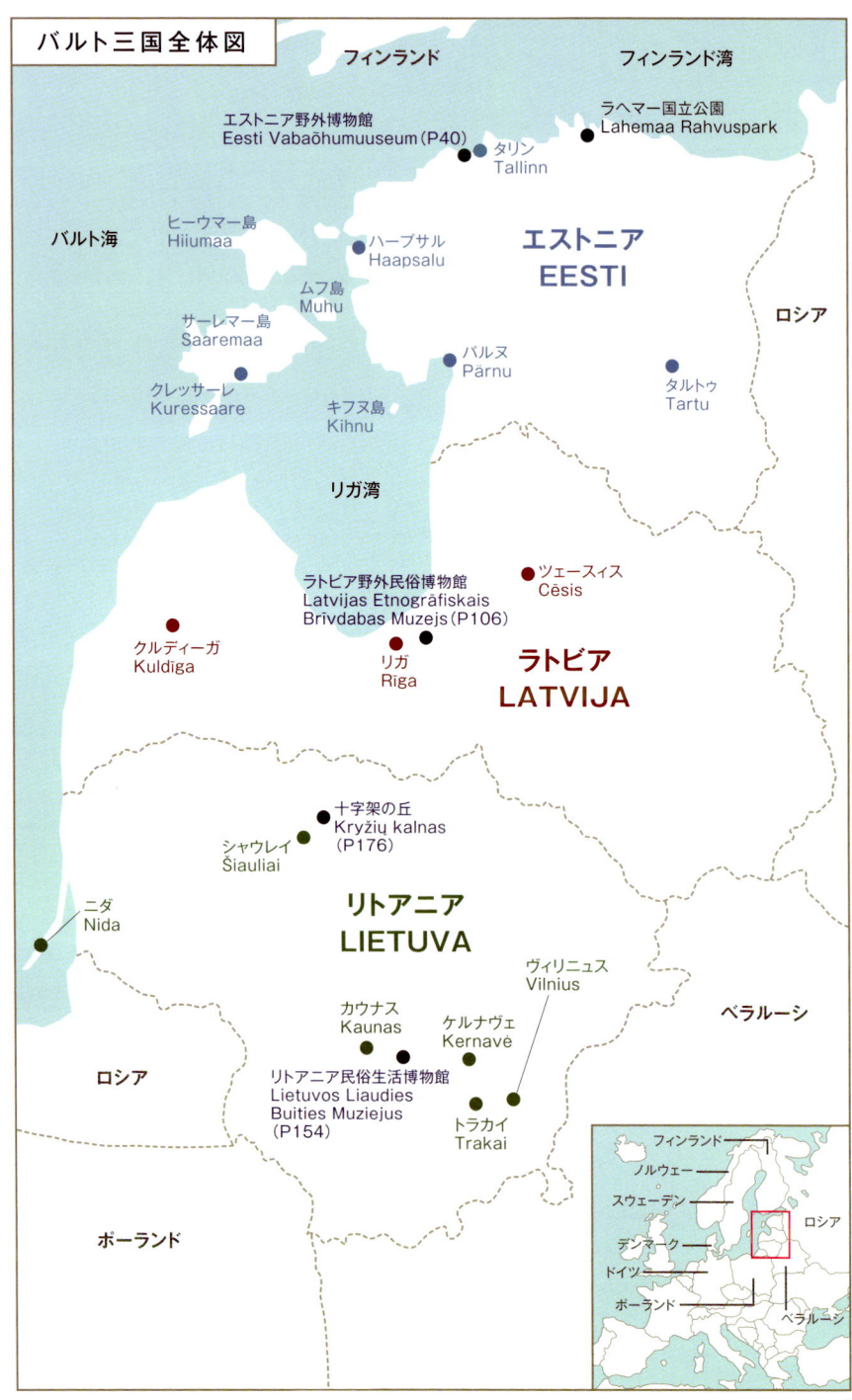

EESTI
エストニア

聖オレフ教会の塔の上から見た
世界文化遺産のタリン歴史地区

エストニアはどんな国？

バルト海の東に位置するバルト三国のうちの一つで、最も北に位置し、フィンランド湾をはさんだ対岸のフィンランドからは、フェリーで2時間ほどの距離。
13世紀、現在のタリンにデンマーク王が十字軍を率いて侵攻しトームペア城を築くが、これが首都タリン（＝デンマーク人の城）の名の由来になっている。その後、ハンザ同盟に加盟し街は繁栄するものの、デンマーク、ドイツに続き、スウェーデン、ロシアに支配される時代を迎える。1918年にようやく独立を宣言するが、1940年にはソ連により併合。その後、ドイツ軍の侵攻を経て1944年には再びソ連に占領される。そして、独立の気運が高まった1988年、タリン郊外の「歌の広場」に約30万人が集い、歌うことで独立を訴え、1991年に再び自由を勝ち取る。2004年にはEUに加盟し、ヨーロッパ諸国の一員として発展していく。スカイプを開発するなど、IT先進国である一方、中世の街並みが残るタリンの旧市街や、森の豊かな自然、島の伝統的な暮らしなど、昔から変わらない風景や文化を今に伝えている。

カフェやレストランが多く集まるラエコヤ広場

ディナータイムに備えて、レストランの開店準備

ヴィル門近くの城壁には、ニット製品の露店が並ぶ「セーターの壁」がある

8

タリンマップ

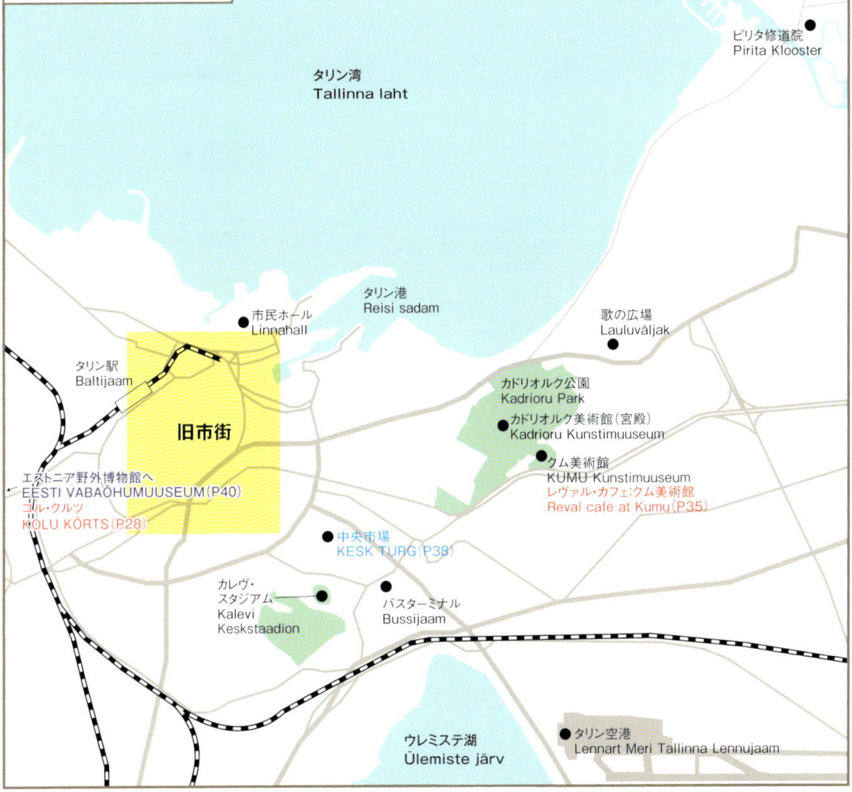

- ピリタ修道院 Pirita Klooster
- タリン湾 Tallinna laht
- 市民ホール Linnahall
- タリン港 Reisi sadam
- 歌の広場 Lauluväljak
- タリン駅 Baltijaam
- 旧市街
- カドリオルク公園 Kadrioru Park
- カドリオルク美術館(宮殿) Kadrioru Kunstimuuseum
- エストニア野外博物館へ EESTI VABAÕHUMUUSEUM(P40)
- コル・クルツ KOLU KÕRTS(P28)
- クム美術館 KUMU Kunstimuuseum
- レヴァル・カフェ・クム美術館 Reval café at Kumu(P35)
- 中央市場 KESK TURG(P38)
- カレヴ・スタジアム Kalevi Keskstaadion
- バスターミナル Bussijaam
- ウレミステ湖 Ülemiste järv
- タリン空港 Lennart Meri Tallinna Lennujaam

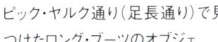

ピック・ヤルク通り(足長通り)で見つけたロング・ブーツのオブジェ

街を散策していると、こんなブロンズ像に遭遇することも

中世を再現したレストラン「オルデ・ハンザ」の前で、客の呼び込みをしていた女性

タリン旧市街マップ

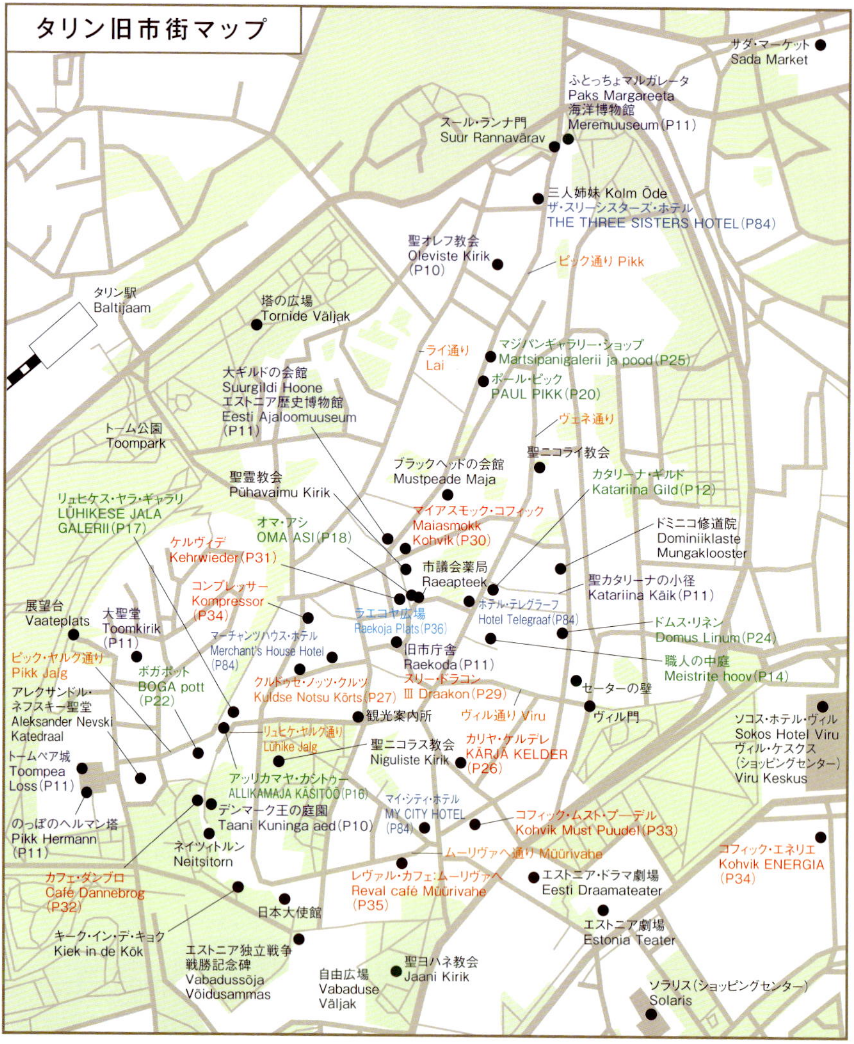

- サダ・マーケット Sada Market
- ふとっちょマルガレータ Paks Margareeta
- 海洋博物館 Meremuuseum (P11)
- スール・ランナ門 Suur Rannavärav
- 三人姉妹 Kolm Õde ザ・スリーシスターズ・ホテル THE THREE SISTERS HOTEL (P84)
- 聖オレフ教会 Oleviste Kirik (P10)
- ピック通り Pikk
- タリン駅 Baltijaam
- 塔の広場 Tornide Väljak
- ライ通り Lai
- マジパンギャラリー・ショップ Martsipanigalerii ja pood (P25)
- ポール・ピック PAUL PIKK (P20)
- 大ギルドの会館 Suurgildi Hoone エストニア歴史博物館 Eesti Ajaloomuuseum (P11)
- トーム公園 Toompark
- ヴェネ通り
- 聖霊教会 Pühavaimu Kirik
- ブラックヘッドの会館 Mustpeade Maja
- 聖ニコライ教会
- カタリーナ・ギルド Katariina Gild (P12)
- リュヒケス・ヤラ・ギャラリ LÜHIKESE JALA GALERII (P17)
- オマ・アシ OMA ASI (P18)
- マイアスモック・コフィック Maiasmokk Kohvik (P30)
- ドミニコ修道院 Dominiiklaste Mungaklooster
- ケルヴィデ Kehrwieder (P31)
- 聖カタリーナの小径 Katariina Käik (P11)
- 展望台 Vaateplats
- 大聖堂 Toomkirik (P11)
- コンプレッサー Kompressor (P34)
- 市議会薬局 Raeapteek
- ラエコヤ広場 Raekoja Plats (P36)
- ホテル・テレグラーフ Hotel Telegraaf (P84)
- ドムス・リネン Domus Linum (P24)
- ピック・ヤルク通り Pikk Jalg
- マーチャンツハウス・ホテル Merchant's House Hotel (P84)
- 旧市庁舎 Raekoda (P11)
- 職人の中庭 Meistrite hoov (P14)
- アレクサンドル・ネフスキー聖堂 Aleksander Nevski Katedraal
- ボガポット BOGA pott (P22)
- クルドゥセ・ノッツ・クルツ Kuldse Notsu Kõrts (P27)
- スリードラゴン III Draakon (P29)
- セーターの壁
- ソコス・ホテル・ヴィル Sokos Hotel Viru ヴィル・ケスクス (ショッピングセンター) Viru Keskus
- トームペア城 Toompea Loss (P11)
- リュヒケ・ヤルグ通り Lühike Jalg
- 観光案内所
- ヴィル通り Viru
- ヴィル門
- のっぽのヘルマン塔 Pikk Hermann (P11)
- アリカマヤ・カシトゥ ALLIKAMAJA KÄSITÖÖ (P18)
- 聖ニコラス教会 Niguliste Kirik
- カリヤ・ケルデレ KÄRJA KELDER (P26)
- コフィック・ムスト・プーデル Kohvik Must Puudel (P33)
- コフィック・エネリエ Kohvik ENERGIA (P34)
- カフェ・ダンブロ Café Dannebrog (P32)
- デンマーク王の庭園 Taani Kuninga aed (P10)
- マイ・シティ・ホテル MY CITY HOTEL (P84)
- ムーリヴァヘ通り Müürivahe
- エストニア・ドラマ劇場 Eesti Draamateater
- ネイツィトルン Neitsitorn
- キーク・イン・デ・キョク Kiek in de Kök
- 日本大使館
- レヴァル・カフェ・ムーリヴァヘ Reval café Müürivahe (P35)
- エストニア劇場 Estonia Teater
- エストニア独立戦争戦勝記念碑 Vabadussõja Võidusammas
- 自由広場 Vabaduse Väljak
- 聖ヨハネ教会 Jaani Kirik
- ソラリス(ショッピングセンター) Solaris

デンマーク王の庭園

1219年6月15日、この地でエストニア人と戦っていたデンマーク王が窮地に陥り神に祈ったところ、天から旗が舞い降り逆転勝利する。その旗が後にデンマークの国旗となる。

聖オレフ教会

13世紀にノルウェー王を祀るため建てられた教会。高さ124mの塔の上には展望台があり、景色を一望できる。巨人オレフ伝説が残り、石化したオレフを見ることも。

10

タリン観光スポット

聖カタリーナの小径
ドミニコ修道院とカタリーナ・ギルドの建物の間に延びる石畳の小径。ヴェネ通りとムーリヴァヘ通りをつなぎ、中世の趣きが残る。

大聖堂
1219年のデンマーク人による征服後すぐに建立。聖母マリア大聖堂とも呼ばれる。貴族の墓碑や石棺、紋章などが見られる。

ふとっちょマルガレータ
海洋博物館
16世紀、タリン港防御のために建てられた砲塔。その後、兵器庫、監獄として使われ、現在は海洋博物館になっている。

大ギルドの会館
エストニア歴史博物館
15世紀にギルドによって建てられ、集会や結婚式などに使われてきた。現在は、エストニア歴史博物館として利用されている。

トームペア城
のっぽのヘルマン塔
13世紀建立の騎士団の城は、18世紀にロシアのエカテリーナ2世により知事官邸に改築。現在は国会議事堂に。脇に建つ約50mの塔は「のっぽのヘルマン」と呼ばれ親しまれている。

旧市庁舎
ラエコヤ広場に建つ旧市庁舎は14世紀に建築され、1404年に現在の姿に。尖塔には街を見守る「トーマスおじいさん」の姿がある。

聖カタリーナの小径沿いに建つ
工房併設のショップ

Katariina Gild
カタリーナ・ギルド

- 住) Vene 12, Tallinn
- ☎) 644-5365
- 営) 11:00〜18:00(日曜〜16:00、工房により異なる)
- 休) なし(工房により異なる)
- MAP) P10
- HP) http://www.katariinagild.eu

15〜17世紀に建てられた建物を利用して1995年にオープン。帽子、パッチワーク、テキスタイル、レザー・製本、陶磁器、ジュエリー、ガラス製品をつくる7つの工房が入居し、作品をその場で購入できる。中で働く職人は、ほとんどが女性。運がよければ、作業の様子を見学することも。

ショップで
カワイイを
ゲットする!

タリン旧市街には、かわいい雑貨や手工芸品を扱うショップがそこかしこに点在している。デザイン性に優れているうえ、仕事もていねい。そんな評判を聞きつけて、日本から買い付けに来る人もいるほど。お気に入りを見つけたら、即ゲットしよう!

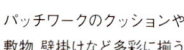
パッチワークのクッションや敷物、壁掛けなど多彩に揃う

ベッドカバーもエネさんの作品

子ども用掛け布団を製作中のエネさん。傍らには「JUKI」や「SINGER」のミシン、作業台の下には様々な柄の生地が収納されている

民族衣装のスカート生地でつくられているナベつかみ

HAT

2軒の帽子工房が隣接。フェルト生地でつくられた帽子が数多く並ぶ

クラシカルな帽子がエレガントさを演出

この日は革工芸デザイナーのビルさんと娘さんが店番

FINE LEATHERWORK

おしゃれなブックカバーにワクワク

TEXTILE

洋服や小物類が並ぶ店内。店の奥には、2年間限定で作品を展示販売できるアートスペースも

ユニークな鉛筆立て

コップの中に美女が！

CERAMICS

実用的な食器から斬新なデザインのオブジェまで揃う

こんな大皿が一枚あったらうれしい

陶磁器工房で働く職人は6名。それぞれの個性が光る

VILDIKODA
ヴィルドゥイコダ
☎) 5667-4671

3人の女性デザイナーが運営するフェルト専門店。階下に広がる店内には、帽子やルームシューズなど、フェルト製品が勢揃い

ネックレスやイヤリングなどのアクセサリーも

ブルーが鮮やかなベストは、シンプルなシャツやブラウスと合わせて

部屋のインテリアや子どものおもちゃとしても使えそう

憩いの中庭に
工房＆ショップが集結！

Meistrite hoov
職人の中庭

住) Vene 6, Tallinn
営) 10:00～18:00(店により異なる)
休) なし(店により異なる)
MAP) P10

ヴェネ通りの小さなトンネルをくぐると見えるのは、工房やショップが集まる「職人の中庭」。腕利きの職人たちによってつくられたガラス製品や陶磁器、ジュエリーほか、フェルト、木材を使った手工芸品などを買うことができる。歩きつかれたら、チョコレートがおいしいと評判のショコラテリーカフェで一休み。天気がよければ、中庭のテーブルでのんびりくつろぎたい。

14

Puu ja Putuka Pood
プー ヤ プートゥカ プード
☎ 5690-5590

絵柄が楽しいリネン製のポットマットに、温かみのあるフェルト生地でつくられたぬいぐるみ

ニレ、カシ、ネズ、白樺などエストニア産の木材を使った木工製品とリネン、フェルト製品を売る店

リネンとフェルト製品を担当するのは、手工芸作家のリリアン＆マルティン夫妻

木工職人のヴァルドゥールさんが作製した手彫りの器。木のぬくもりが伝わってくる

様々な形をした木製のボタンがおしゃれ

店名は「木と虫の店」という意味なのだとか

15　エストニア　ショップでカワイイをゲットする！

伝統手工芸品を
モダンにアレンジ

ALLIKAMAJA KÄSITÖÖ

アッリカマヤ・カシトゥー

エストニア手工芸協会が設立されたのは1929年。ソ連時代にいったん廃止されるが、1992年に復活した

民族衣装を着ている気分になれるエプロンと外出が楽しくなるおしゃれなポンチョ

住	Lühike jalg 6A, Tallinn
☎	641-1708
営	10:00~18:00(日曜~17:00)
休	祝日
MAP	P10

エストニア手工芸協会が経営するハンドクラフト店。木工品やニット製品、陶磁器など、伝統的な手工芸品が並ぶ。モダンなアレンジで、洗練されたアイテムが揃っている。ミトンやマフラー、ムートン製品が、季節を問わず買えるのもうれしい。ドアベルやキャンドルスタンドなど、鉄細工のコーナーも充実。

民族衣装を着た人形たち。ワインコルクや楊枝入れもある

リュヒケ通りの階段途中にあり、エストニア各地の手工芸品が一同に揃う。ぬいぐるみや人形など、子ども向けの商品も多数

木の香りを楽しみながらビールを飲みたい！

16

アート作品が揃う
ギャラリーショップ

LÜHIKESE JALA GALERII
リュヒケス・ヤラ・ギャラリ

住 Lühike jalg 6, Tallinn
☎ 631-4720
営 10:00〜18:00(土・日曜〜17:00)
休 なし
MAP P10
HP http://t6nis2.wixsite.com/lj-galerii

店内で販売されているほとんどが、エストニア人アーティストの作品。美術館の展示品のようにディスプレイされているスペースもある

1993年にテキスタイル・アーティストのグループが立ち上げたギャラリーショップ。テキスタイルほか、革、ガラス製品、陶磁器、ジュエリーなど、専属アーティストの作品を買うことができる。タペストリー、オブジェなどのインテリアや、シルバー、フェルト製アクセサリーなど、デザインはどれも個性的でアーティスティック。

とぼけた感じの表情がカワイイ！

箸置きに使えそうなものも

アーティストや作品のことなど、気軽にたずねてみよう

遊びごころがあって、ティータイムが楽しくなりそう

首にグルリと巻きつけるだけでおしゃれに変身

オーナーのキルカさんは、雑貨の目利き。店内にはセンスのいい商品が並ぶ

女子心をくすぐるかわいいアイテム
OMA ASI
オマ・アシ

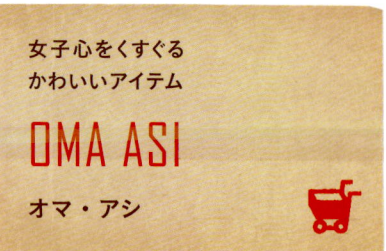

牛乳パックを思わせるミルク・ジャグ

住) Saiakang 4, Tallinn
☎) 5650-0792
営) 10:00〜19:00
休) なし
MAP) P10
HP) http://www.omaasi.com

思わず笑みがこぼれるような雑貨であふれている

ぽってり感がなんともキュート！

2010年にオープンした雑貨店。エストニア人デザイナー約60人の商品を扱っている。かわいいイラスト入りのヘアピンやブローチ、ムフ刺繍のシューズなど、女子の心をつかむアイテムがたくさん！オーガニックコスメ「JOIK」のシリーズも見逃せない。ハンドクリームやせっけん、リップクリームなど、ナチュラル・ハンドメイドの製品が揃う。

ピアスもかわいいものが揃っている

壁に固定してバッグやコート掛けに

時計の中の構造がよくわかるアクセサリー

「白パン通り」に建つ小さな赤い家。中世の時代は、ベーカリーが軒を連ねていた

18

ムフ刺繍を施したルームシューズ

ムフ刺繍の絵柄が入っているソックスで、おしゃれを楽しみたい

メイドイン・エストニアのナチュラルソープ

和のテイストを採り入れた折り紙のピアスがおしゃれ！

アニマルシリーズのヘアピンやブローチ

毛糸で編んだ指人形やフェルトの動物たちが並ぶキッズ用のコーナーも

「JOIK」の入浴剤は、ホワイトチョコにも見えておいしそう！

エストニア ショップでカワイイをゲットする！

ディスプレイにもセンスのよさを感じる

北欧生まれの洗練されたデザイン
PAUL PIKK
ポール・ピック

住) Pikk36, Tallinn
☎) 655-0152
営) 10:00〜18:00
休) 日曜
MAP) P10

エストニアの雑貨ほか、スウェーデンやデンマークからの輸入ものが揃うスカンジナビアン・ギフトショップ。北欧の雰囲気が漂う店内には、食器やキャンドル、オブジェなど、生活に潤いを与えてくれるアイテムが揃っている。ヴーリメへ通りの「DEKO」は、姉妹店。時間があれば、そちらものぞいてみよう。

鳥かご風インテリアで部屋の印象もガラリと変わる

シャークの大きな口を部屋のオブジェに

木をくりぬいてキャンドルにした店の人気商品

本物のエルクの角をウォールハンガーとして利用。キッチンタオルを掛けたり、コートや帽子を掛けてもOK

洗練されたデザインのインテリア雑貨が並ぶ店。お気に入りが見つかるかも

20

シンプルモダンなスカンジナビアンテイストのアイテムが揃う

木の温かみが感じられる壁掛けで、部屋をおしゃれに演出

ナチュラル感漂うキャンドルスタンド

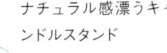

グリーンとマッチしたエルクのオブジェ

フルーツやお菓子を入れるのにぴったり

ニンニクの花瓶がユニーク

21　エストニア ✿ ショップでカワイイをゲットする！

工房とカフェも併設
陶磁器中心のアートショップ

BOGA pott
ボガポット

住) Pikk jalg 9, Tallinn
☎) 631-3181
営) 10:00〜19:00(冬の日曜〜18:00)
休) なし
MAP) P10
HP) http://www.bogapott.ee

アレクサンドル・ネフスキー聖堂からほど近い場所にある

天使がラッパを吹いているこの作品は、アイリケさんによるもの

陶芸家のゲオルグさんと彫刻家である妻のアイリケさんが経営するアートショップ。陶磁器工房とカフェを併設しており、小さな中庭を中心に、左側がショップ、中央にカフェ、右側が工房という配置になっている。ショップでは、二人の作品以外にも、ガラス製品や絵画など、エストニア人アーティストの作品を買うことができる。

愛嬌のあるこれらの作品は、ゲオルグさん作

耳を澄ませば、バイオリンやギターのメロディーが聴こえてきそう

アイリケさん作の羊の置物

陶磁器を中心としたアートの世界が広がる店内

22

カフェで出すカップやプレートは、すべてゲオルグさんの作品

ピンクの花がカワイイ、マジパン＆カッテージチーズケーキ

カフェでは、ケーキやペストリーも注文できる。これはレモン＆チーズケーキ

ショッピングに疲れたら、隣のカフェで一休み

工房内の見学もOK。温かく迎え入れてくれる

仕事道具や完成品、未完成品が棚に収められている

40年以上も作陶を続けているゲオルグさん。アイリケさんとはアートアカデミーで知り合い結婚。今も仲睦まじく、一緒に仕事をしている

工房の奥に電気窯を発見！これで焼成する

23　エストニア　ショップでカワイイをゲットする！

ニット製品が売られている「セーターの壁」から歩いてすぐ

ナプキンやキッチンクロスなど、自宅で使いたいものばかり

自然の風合に惹かれる上質のリネン製品
Domus Linum
ドムス・リネン

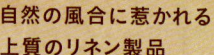

- 住) Müürivahe 31, Tallinn
- 電) 646-4471
- 営) 9:00〜19:00(冬〜17:00)
- 休) なし
- MAP) P10

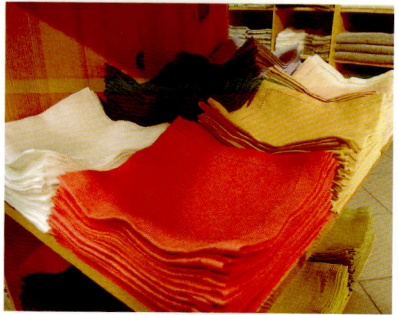

ナチュラル感が魅力のリネン製品を扱う店。キッチンタオルやテーブルランナーといった家庭用品を中心に、糸玉やアクセサリーも販売している。使いこむほどに風合いが増すリネンは丈夫で長持ち。吸水性、通気性にも優れているので、快適な使い心地。ナプキンやコースターなど、普段使いに買って帰りたい。

体を洗うバスグッズもリネン製

かわいいイラスト入り鍋敷き

質の高いリネン製品が手に入る

白やベージュのほかにも、染色したカラーバリエーション豊富な糸玉が揃っている

仕上げに砂糖水で固めているリネン製の天使。部屋に飾ると幸せを呼び込むという

24

アニメのキャラクターらしき人形が勢揃い。食べるのがもったいない

バラの花もマジパン。大切な人に贈りたい

バラエティに富んだマジパンは、子どもから大人まで人気。いろいろあって迷うので、オススメを聞いてみよう

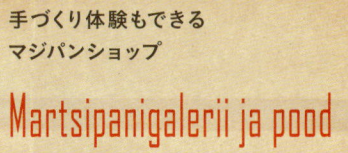
手づくり体験もできる
マジパンショップ

Martsipanigalerii ja pood

マジパンギャラリー・ショップ

住 Pikk 40, Tallinn
☎ 646-0626
営 10:00〜18:00
休 なし
MAP P10
HP http://www.martsipan.ee

雑貨や工芸品ではないけれど、マジパン細工がかわいかったので、こちらも紹介！1階がマジパンショップとカフェ、地下1階はマジパンギャラリーになっている。アーモンドの粉末と砂糖でつくるマジパンは、エストニアではポピュラーなお菓子。動物やフルーツ、ハートの形をしたものなど多彩に揃う。ギャラリーでは、おとぎ話やアニメのワンシーンをマジパンで再現し展示している。1人4ユーロで、マジパン人形の手づくり体験もできる。

ギャラリーには、マジパンでつくられた作品が並ぶ

なぜか、完成している!!

あらあら、弟のほうは……どうしちゃったのか!?

色付け作業にとりかかるお姉ちゃん

親子揃ってマジパンの人形作りに挑戦！

おいしい 旅カフェ× 旅ごはん

旅先ではやっぱり、その国の伝統料理やスイーツを食べたいもの。街を散策していて偶然見つけたレストランや、現地の人に薦められて入ったカフェをご紹介しよう！

ビールの種類も豊富 食事が楽しめるパブ
KĀRJĀ KELDER
カリヤ・ケルデレ

- 住) Väike-Karja 1, Tallinn
- ☎) 644-1008
- 営) 11:00〜24:00(金・土曜〜翌2:00)
- 休) なし
- MAP) P10
- HP) http://www.karjakelder.ee

19世紀に営業を開始した、タリンのなかでも古いパブのうちの一つ。エストニアの地ビール「SAKU」ほか、約50種類のビールが楽しめる。オニオンリングやチーズの盛り合わせといったおつまみはもちろん、豚肉のシュニッツェルやビーフステーキ、マスのグリルなど、食事のメニューも充実している。

ソ連時代は数少ないパブのうちの1軒で、行列ができるほど繁盛していたそうだ

地元の人や観光客からも人気のパブ。エストニア料理が食べられる

入口は小さいが、地下に下りて行くと店内は広くゆったりとしている

注文したのは「キエフ風カツレツ」。ナイフを入れると鶏肉の中にチーズが！

26

店の前では人形のカップルがお出迎え。民族衣装を着た女性がサーブしてくれる

使いこんだ生活道具がさりげなく飾られている

血のソーセージ、豚肉の煮こごり、ニシンのマリネ、マッシュポテトなど、エストニアの郷土料理が揃っている

「金の子ブタ」という名のレストラン
Kuldse Notsu Kõrts
クルドゥセ・ノッツ・クルツ

- 住) Dunkri 8, Tallinn
- ☎) 628-6567
- 営) 12:00〜23:00(LO22:30)
- 休) なし
- MAP) P10
- HP) http://www.kuldnenotsu.ee

エストニアの郷土料理が味わえるレストラン。豚肉のローストやソーセージ、ニシンほか、穀物とヨーグルトをミックスしたカマと呼ばれるデザートなど、バラエティ豊富なメニューが自慢。木のぬくもりが感じられる山小屋風の店内には、昔の生活道具がオブジェとして、ところどころに飾られている。

ナイフを突き刺したダイナミックな料理も

女子好みのかわいいインテリア

天気がよければ屋外のテーブルで食事ができる

ボリュームたっぷりの野菜煮込み

豚肉と豚の血、大麦でつくられた血のソーセージ

日替わりメニューもあるので要チェック

馬屋だった場所は、パーティーができるほどの広さ

野外博物館のレストランで
エストニア料理を満喫

KOLU KÕRTS
コル・クルツ

- 住) Vabaõhumuuseumi tee 12, Tallinn
- ☎) 654-9100
- 営) 11:00〜20:00（冬期〜17:00）
- 休) なし
- MAP) P9
- HP) http://evm.ee

建物は1840年代にタリン〜タルトゥの街道沿いに建てられたもので、宿＆居酒屋として使われていた。1968年に野外博物館に移築され、レストランとしてオープン。ニシン、ソーセージなどの郷土料理や、黒パンを発酵させてつくるジュース「カリ」など、エストニアの味が楽しめる。

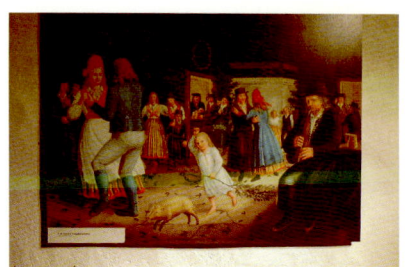
昔の居酒屋の様子が絵に残っている

旅人たちの憩いの場だった店内で、食事を楽しもう

温かいスープが用意されている

キッチンをのぞかせてもらった

デザートもスタンバイ

ひき割り麦が入ったマッシュポテトとカマのデザート

ドラゴンの看板が目印。店内はかなり暗い。ツギハギのドレスで働く女性たちが、ケンカ腰で話していてギョッとしたが、これは演出なのだとか

中世の趣きを残す店内。ビールやワイン、コーヒーなどもある

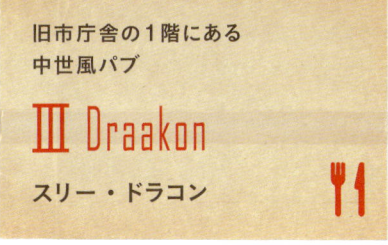

旧市庁舎の1階にある
中世風パブ

III Draakon
スリー・ドラコン 🍴

住) Town Hall, Raekoja plats 1, Tallinn
☎) 608-320-1730
営) 9:00～24:00
休) なし
MAP) P10
HP) http://www.kolmasdraakon.ee

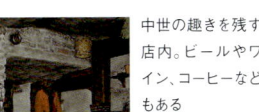
エルクのミートスープとパイ。昔風の器でスプーンを使わずにいただく

店内では女性たちが忙しそうにスープをよそったり、パイを焼いている。アップルパイやキャロットパイなど、パイを中心とした食事メニューは、1〜3ユーロとリーズナブル。エルク(ヘラジカ)のミートスープは味もさることながら、一皿で満腹に。

クラシカルな店内でゆったりとコーヒータイム。ブルーベリーがのったカマケーキは甘すぎずヘルシー

店名のマイアスモックとは、甘党という意味

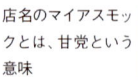

クリームたっぷりの「パブロヴァ」

エストニアでチョコレートと言ったら「Kalev」

時間帯によっては、マジパン職人の手しごとを間近に見ることも

カフェオープン当初に使われていたイス。マジパンミュージアムのコーナーには、貴重な品がディスプレイされている

1864年創業の老舗カフェでスイーツを味わうひととき

Maiasmokk Kohvik

マイアスモック・コフィック

- 住) Pikk 16, Tallinn
- ☎) 646-4079
- 営) 8:00～21:00(土・日曜9:00～)
- 休) なし
- MAP) P10
- HP) http://www.kalev.eu/en/maiasmokk-cafe

店内のガラスケースには、シュークリームのような「クフピマタスク」やフルーツとクリームが絶妙なケーキ「パブロヴァ」など、多彩なスイーツが並ぶ。通路をはさんで奥の方にあるのは、チョコレートやマジパンの販売コーナー。マジパンミュージアムも併設している。予約をすれば、マジパンの歴史や展示品について説明を聞くことができる。

チョコレートで有名な「Kalev」が経営するカフェ

チョコレートやマジパンを売るコーナー

30

大きな窓からラエコヤ広場を一望！

古い建物を利用した洞窟のようなカフェ
Kehrwieder
ケルヴィデ

住） Saiakang 1, Tallinn
☎） 524-5645
営） 8:00～24:00（金・土曜～翌1:00）
休） なし
MAP） P10
HP） http://www.kohvik.ee

薄暗い洞窟のような店内をキャンドルやライトがほのかに照らす、隠れ家風カフェ。ケーキやペストリー、チョコレート、アイスクリームなどスイーツが充実。なかでもチェリーチーズケーキとチョコレートケーキが人気とか。こだわりのコーヒーと一緒にいただきたい。

ラズベリーケーキを食べて一休み。コーヒーを頼むとチョコレートが1個付いてくる

扉に描かれているアール・ヌーヴォーの絵に惹かれ店内へ

チョコレートもオススメ。スイーツのほか、サンドウィッチやサラダ、キッシュなど軽食も揃う

キャンドルの灯りが何とも落ちつく

細長くのびるスペースを利用し、カフェとしてオープン。つきあたり奥にある店内で注文する

景色を楽しみながらコーヒータイム
Café Dannebrog
カフェ・ダンブロ

- 住) Lühike jalg 9A Tallinn
- ☎) 554-7124
- 営) 9:00〜23:00
- 休) なし(冬期休業)
- MAP) P10

デンマーク王の庭園に隣接する城壁を上って行くと、そこにあるのは何とカフェ！壁に沿ってテーブルが並び、タリンの街を見渡しながらコーヒーを満喫できる。スイーツも、ケーキやドーナツ、トリュフチョコレートと種類豊富。「ヴァナタリン」というエストニアのお酒を入れたコーヒーやホットチョコレート、チャイなどドリンク類も充実。

塔の右側がカフェ・ダンブロ。左側には「ネイツィトルン(処女の塔)」があり、博物館及び別のカフェになっている

チェリーヨーグルトケーキやアーモンドケーキ、ラムボールなど、どれもおいしそう！

「ブチ模様の犬」という名のスイーツ

14世紀に建てられた城壁で休憩！

こちらがヴァナタリン・コーヒー。お酒が入った大人の味

カフェから望む景色

32

アンティークの家具がレトロな雰囲気を醸し出す。朝食は陽光の差す明るい中庭で！夜は落ち着いた店内でゆったりと過ごしたい

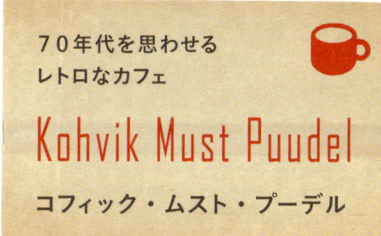

70年代を思わせるレトロなカフェ
Kohvik Must Puudel
コフィック・ムスト・プーデル

- 住）Müürivahe 20, Tallinn
- ☎）505-6258
- 営）9:00〜23:00
  （水曜〜翌1:00、木曜〜翌2:00、金・土曜〜翌4:00)
- 休）なし
- MAP）P10

若い人たちに人気のカフェ。アイスクリームやケーキほか、パスタやハンバーガーなど食事もできる。平日は12時まで、土・日曜は14時まで朝食メニューを出しているので、街散策の前に立ち寄るのもオススメ。毎週金・土曜の夜はDJが入り、パーティー会場と化す。店内はダンスを楽しむ人たちでいっぱいになるそうだ。

朝食メニューのアボカドディップにポーチドエッグがのったオープンサンド

ソバ粉のパンケーキの上には、カリカリベーコンとメープルシロップバター

朝から晩まで利用価値大のカフェ

スタッフは皆、明るく親切

ムスト・プーデルとは、黒いプードルという意味

ボリューム満点の
パンケーキが自慢

Kompressor
コンプレッサー

ラエコヤ広場から近いので観光途中に便利。地元の人や観光客でにぎわっている

- 住) Rataskaevu 3, Tallinn
- ☎) 646-4210
- 営) 11:00〜23:00
- 休) なし
- MAP) P10
- HP) http://www.kompressorpub.ee

食べごたえのある、チョコレートソース＆アイスクリームのパンケーキ

ボリュームがあっておいしいと評判のパンケーキハウス。食事系とスイーツ系のパンケーキ、約30種類が揃う。なかでも人気なのが、ラズベリー＆スイートミルク。組み合わせ豊富で、どれにしようか迷ってしまう。

ソ連時代からあるカフェ

長年愛されている
くつろぎのカフェ

Kohvik ENERGIA
コフィック・エネリエ

- 住) Kaubamaja 4, Tallinn
- ☎) 660-4706
- 営) 8:00〜19:30（日曜10:00〜18:00）
- 休) なし
- MAP) P10

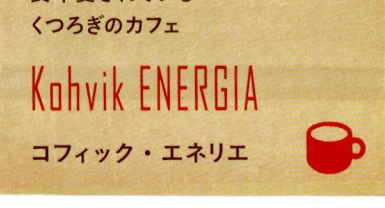

ジャムパンやクリームパンなど、素朴なパンが並ぶ。ケーキは4種類ほど用意している

デパート「カウバマヤ」の目の前にある

オープンして50年以上経つカフェ。古くからの常連客も多く、長く愛され続けている。ケーキやパン、オープンサンド、サラダなどがセルフサービス。手軽に利用したい。

好きなケーキを選んで一息つこう

34

シーバックソーンとラズベリーのパンナコッタ

長居したくなるような居心地のよさ。オススメのスイーツをたずねてみよう

キッシュやペストリー、チョコレートも販売している

2005年にオープンしたレヴァル・カフェの人気店

Reval café Müürivahe
レヴァル・カフェ：ムーリヴァへ

- (住) Müürivahe 14, Tallinn
- (電) 641-8100
- (営) 月・火曜7:30〜23:00、水・木曜〜24:00、金曜〜翌2:00 土曜8:30〜翌2:00、日曜8:30〜23:00
- (休) なし
- (MAP) P10
- (HP) http://www.revalcafe.ee/en/cafes/muurivahe

タリン市内に11店舗あるチェーン店のなかでも人気のカフェ。地元客でほぼ満席という日も多いとか。スイーツはもちろん、オムレツやスクランブルエッグなど朝食メニューも充実。メインディッシュも取り揃えているので、ランチやディナーとして利用する人も。

アート作品鑑賞後はカフェへ直行！

カドリオルク公園に隣接する美術館のカフェ。チョコレートケーキからスマイルマークのクッキーまでスイーツが充実

「おばあちゃんのチーズケーキ」とニシンサンドを注文

美術館に立ち寄ったらここでスイーツを

Reval café at Kumu
レヴァル・カフェ：クム美術館

- (住) Weizenbergi 34 / Valge 1, Tallinn
- (電) 602-6164
- (営) 10:00〜19:00（木曜〜20:00）
- (休) なし
- (MAP) P9
- (HP) http://www.revalcafe.ee/en/cafes/kumu

クム美術館の中にあるレヴァル・カフェのチェーン店。ケーキやクッキーなどスイーツが満載。10時からのオープンとはいえ、朝食メニューもある。

広場のマーケットで
名産品を手に入れる
RAEKOJA PLATS
ラエコヤ広場

住） Raekoja plats, Tallinn
営） 夏の期間中の金～日曜10:00～17:00
MAP） P10

お祭りや野外コンサート、クリスマスマーケットなど、イベントが開催されるたびに、にぎわいを見せるラエコヤ広場。夏の期間中は、毎週、金・土・日曜にマーケットが開かれ、エストニア産の食品、ニット、リネン製品など、バラエティに富んだ商品が並ぶ。

こちらは、エルク肉の缶詰

ローカル満喫!
マーケットでお買いもの

タリン市内には、市民が通うローカルな市場や、エストニアの名産品を売るマーケットもあって、様々なモノであふれている。ここでお土産を調達してもいいし、現地の人たちが普段食べているものに挑戦してみるのもいい。市場をのぞけば、エストニアをより深く知ることができる。

サラミやチーズなど加工製品を売る青年

エルクやイノシシ、馬肉のサラミが並ぶ

ヒモで結んだようなスモークチーズも

ドーナツかと思ったら、何とスモークチーズ

36

エストニア産のハチミツを
売る店も。試食をして気
に入ったら買って帰ろう

栄養価の高い蜂花粉

かわいい刺繍を施したリネンのワンピース。
おそろいの帽子も一緒に

ラムウールの毛糸を販売

おしゃれなセーターやポンチョなども売られていた

キャンディーを思わせる渦巻きの毛糸玉

フェルトの帽子は、彼女の手づくり。売
り物の帽子を被りながら、次から次へと
ポーズをとってくれた。これを被って
歩いたら、誰もが振り返りそう

37　エストニア　ローカル満喫！マーケットでお買いもの

地元の人から愛される
昔ながらのマーケット
KESK TURG
中央市場

住 Keldrimäe 9, Tallinn
営 7:00〜17:00
休 なし
MAP P9

旧市街から南東へ20分ほど歩いたところに、地元の人たち行きつけの中央市場がある。モダンなスーパーマーケットがあちらこちらにできるなか、こうした昔ながらの市場がちゃんと残っているのがうれしい。野菜、肉、魚、乳製品ほか、お菓子や雑貨、衣料品なども揃って、タリンの人たちの暮らしを支えている。

市場の中を歩いていると、エストニアの人たちが普段どんなものを食べているのかよくわかる

どっさりと野菜が積まれていた！

ザワークラウトが入った樽がたくさん！

ビーツの鮮やかな色

野菜のマリネがカラフル

甘口のザワークラウトもある

38

バルト海で獲れる魚や川魚などが揃う。エストニアの人々はニシンやウナギ、カレイ、ヒラメなど魚も好んで食べる

フルーツや肉、魚など、新鮮な食材が並ぶ

オランダやポーランドなど、外国産のチーズも置いている

アプリコットやプラムなど、ドライフルーツも

カッテージチーズに似た乳製品「コフピーム」

牛肉よりも豚肉をよく食べるようだ

小さな窓から商品の受け渡しをする

衣料品も販売。ニット製品が割安で手に入る

場内には揚げパンを売る店も。ピロシキのような、ロシアのファストフード「ペリヤシ」

エストニア野外博物館

緑豊かな園内をゆっくり散歩しながら、古い建築物を見て回ろう

昔の暮らしが見えてくる

タリンの西に位置するロッカ・アルマーレに、1957年にオープンした民俗博物館。17世紀から20世紀初頭までの建築物が、国内各地から移築され、一般公開されている。海に面した72ヘクタールの敷地には、農家の住居やサウナ、学校、消防署、教会、風車など、70以上の木造建築が建つ。建物は大きくエストニア北部、西部、南部、島とに分けられ、訪れる人をそれぞれの時代、地域へと誘ってくれる。

園内を歩いていると、老婦人がせっせと手を動かし、レース編みや藁細工づくりに精を出す姿を目にすることも。夏になれば、民族衣装を身に着けた男女が、音楽に合わせて踊りを披露する。ラストでは、観客たちも輪の中に入り、ダンスを満喫。夏至祭や聖ミカエルの日、クリスマスなど、一年を通してイベントを開催しているので、現地の人たちと一緒に祝い、楽しみたい。

家族で訪れる人も多い

園内を馬車で回ることもできる

昔風の装いをしたおばあちゃんが、古い家屋の中で手芸をしながら待機していることも

夏の期間中は、民族衣装を身に着けた人たちの華麗な踊りを見ることができる

EESTI VABAÕHUMUUSEUM
エストニア野外博物館

- 住 Vabaõhumuuseumi tee 12, Tallinn
- ☎ 654-9101
- 営 夏期(4/23〜9/28)10:00〜20:00 ※建物見学は〜18:00
  冬期(9/29〜4/22)10:00〜17:00
- 休 なし
- 料 夏期10ユーロ、冬期8ユーロ
- 交 タリン駅のターミナルから21・21B番バスに乗って約20分「Vabaõhumuuseum」で下車
- MAP P6、P9
- HP http://evm.ee

この中で煮炊きができるサマーキッチン。19世紀前半のもの

エストニア ✦ エストニア野外博物館

LAU KÜLAPOOD
ラウ・ヴィレッジショップ

1930年代に村の雑貨店だった建物。衣料品から食料品、金物まで何でも揃う。スーパーやコンビニなどがなかった時代だから、さぞかし繁盛していただろう。店内に並べられているお菓子などは、その場で買うこともできる。

時代を思わせるミシンの広告。アンティーク感のあるお菓子の広告も

ディスプレイされている商品から、昔の暮らしがうかがえる

かつて村人の生活を支えた店

服を仕立てるための生地や糸も揃っている

店の奥は住居になっている

カウンターには年季の入った量りや、そろばんのような道具も

バケツやナベ、馬蹄なども揃う

42

学校では、読み書きや計算、歌唱、地理、宗教などを教えた

エントランスホールの右手がキッチンになっている

オーブン上部の壁にはめ込まれている鉄製のツールは、スライドさせて煙を外に逃がすためのもの。左は手動のミートチョッパー

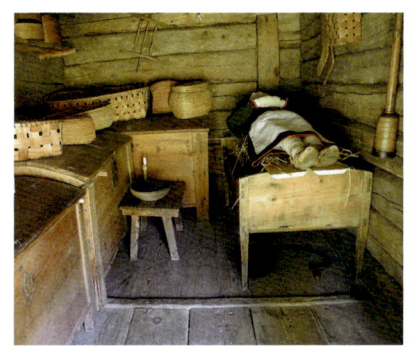

家族が亡くなると、悪霊が侵入しないようにまずは目と口をふさぐ。次に、近所の人に遺体を洗ってもらい、衣服を着せる。葬式までの3日間は、誰かしらずっと遺体を見守らなくてはいけなかった

KUIE KOOLIMAJA
クイエ・スクール

1878年から1923年まで学校だった建物。大きな教室と、教師の家族のためのリビングルーム、キッチンが備わる。当時は、家の農場を手伝う子どもが多かったため、閑散期の10/15〜4/15のみ学校に通った。義務教育は3年間。

遠くから通ってくる生徒もいたため、雪深い冬は教師宅に寝泊まりする者もいた

AIT
納屋

1766年にサーレマー島に建てられた納屋。衣類、穀物、食料に分類され保管されていた。中をのぞくと、木製の樽や桶、衣装ケースなどが見られる。家族が亡くなると、遺体はこうした納屋に一時的に安置された。

納屋は3つに分類され、それぞれ保管されている

HÄRJAPEA TALU
ハルヤペア農場主の家

1909年に建てられた農場主の家。敷地内には、納屋や家畜小屋、サウナ小屋などが備わる。リビングには、サンクトペテルブルクから取り寄せたセラミックタイルのストーブやグランドピアノなどがあり、ぜいたくな暮らしぶりがうかがえる。一族は1970年代半ばまでこの家に住み続けた。

食料庫には保存のきくジャムやピクルスなどがたくさん！小麦粉、砂糖、コーヒーもおそろいの缶に入っていてかわいい

日差しが気持ちいいリビング

家主はサンクトペテルブルクで農産物を売ってお金を貯め、この家を建てた

キッチンの片隅でレース編みに勤しむ女性。お手製のフェルトのイヤリングやレースのブレスレットなどテーブルに置かれている作品は、すべてその場で購入できる

手を洗うのも、昔はこんなスタイルで

キッチンの窯に薪をくべると、部屋全体が暖かくなる

ORGMETSA PRITSIKUUR
オルグメトゥサ消防署

1928年に建てられた消防署。1920年代から1930年代にかけて、エストニアの村にはこうした建物があり、火災が発生するとボランティアの消防士たちが出動した。遠いところでは、10km離れたところまで火を消しに行ったそうだ。

木造の教会が残っているのは、エストニアでもめずらしい

SUTLEPA KABEL
ストゥレパ・チャペル

木造のこの古めかしいチャペルは、17世紀に建てられたと考えられる。ドアには1699年と刻まれ、ドアフレームには修復した年の1837年と刻まれている。ここで、洗礼式やウエディング、葬儀などが行われた。チャペルでは、伝統的には右に男性、左に女性が着席する。

火事を知らせるベルも備えている。消防署の鍵は普段、近所の家に預けていたそうだ

すぐに出動できるよう建物には大きな扉が二つ。火消し車と大量の水などが保管されていた

こんなかわいいレインブーツも

伝統刺繍がかわいいエプロン。民族衣装を着たときに履く革靴もおしゃれ。木製人形や小物類も充実

KÄSITÖÖ POOD
ミュージアムショップ

野外博物館のエントランスを入ると、右にあるのがミュージアムショップ。エストニアの工芸品やチョコレート、ワインまで揃っている。帰りに立ち寄ってみよう。

45　エストニア　エストニア野外博物館

愛国心あふれる歌と踊りの祭典

この年の祭典のテーマ「過去を振り返り、未来へつなぐ」を掲げて行進

自由を勝ち取った歌の力

2003年にユネスコ無形文化遺産に指定された「歌と踊りの祭典」。5年に一度、「歌の広場」で歌の祭典を、「カレヴ・スタジアム」では踊りの祭典が開催される。2014年の来場者数は15万人。歌い手は3万人、ダンサーは1万人を超えた。海外からも1000人以上が参加した。現在は自由を謳歌しているエストニアだが、ソ連時代に行われた祭典では、ソ連最高指導者の写真とスローガンを掲げて行進し、ソ連の国歌を歌わなければならなかった。そして1988年、エストニア各地から30万以上の人々が歌の広場に集い、独立を訴える「歌う革命」を起こす。これがきっかけとなり、独立への道を歩み始めることになる。1990年の歌の祭典では、外国に亡命していたエストニア人たちも多く参加。こうしてエストニアの人々は、祖国の歌を自由に歌えるようになった。

それぞれ、地域、グループごとにプラカードをもって行進

沿道にはたくさんの人たちが、行進を見るために集まっていた。「Elagu!（万歳）」のあとにグループ名を叫ぶと、参加者たちはそれに応えて「ホー」と声を上げる

踊りながら行進するグループも

待ち遠しかった日がついにやって来た

華やかにパレードがスタート

参加者たちは、午後2時に自由広場を出発して、会場まで5キロの道のりを行進。タリン市長や指揮者、ブラスバンドも加わり、にぎやかなパレードが続いた。すべてのグループが入場を終えたのは午後7時。疲れなどまったく見せず、皆、生き生きと輝いていた。

トラックや馬車で入場する人たちもいた

47　エストニア　愛国心あふれる歌と踊りの祭典

お腹を空かした人たちで、テーブルは満席

露店のスタッフは、休む暇もなく料理を盛りつけていた

これで一気に大量のサーモンを焼くことができる

一つの鉄ナベで3種類の料理を同時につくる

本番までは遠足気分

リネンの衣装に花冠がよく似合っている

「カマ」と呼ばれる穀物のデザート

皆、笑顔がまぶしい

本番前のリラックスタイム

会場に入ると、芝生でくつろいでいる人もいれば、料理をほおばる人もいて、本番まではリラックスした雰囲気。露店には、ソーセージやサーモン、ポテトなど、おいしそうな料理が並んでいた。

48

エストニア人にとって、黒パンはなくてはならないもの。
大臣自らがカットしてPR

農場の跡取り息子も、この日はお手伝い

シーバックソーンと呼ばれるベリーの
ジュースは、ビタミンが豊富

生産者や料理人たちの姿もあった

ヘルシーフードが並ぶ

きれいに並べられた試食用のチーズは、あっという間になくなってしまった

盛りつけがおしゃれ

エストニアンフード

会場の一角にあったのが、エストニアの食品や飲料を紹介するコーナー。国内産の食材を使った料理やデザートが並び、農業機関の職員や農場主らがPR。近年のヘルシー志向からか、ほとんどがオーガニックだった。

エストニア ☀ 愛国心あふれる歌と踊りの祭典

歌の祭典

1869年に第二の都市タルトゥで、第一回歌の祭典が開催された。このとき参加したのは、わずか878名の男性のみ。その後、タリンで行われるようになり、1933年には女性合唱団の参加が認められるようになった。ソ連時代など、数々の苦難を乗り越え、現在の歌の祭典がある。

オープニングに歌われたのは、エストニアの愛国歌「Koit(夜明け)」。この曲は「歌う革命」のシンボルにもなった

26回を迎えた歌の祭典。この日のために、練習を重ねてきた

塔の上に灯された聖火は、タルトゥからはるばる自転車で運ばれてきたそうだ

最終日の終盤に歌われたのが「Ta lendab mesipuu poole(彼はミツバチの巣に帰る)」と「Mu isamaa on minu arm(我が祖国は我が愛)」「Kodumaa(祖国)」の3曲。エストニア人であれば、誰もが知っている愛国心にあふれた曲だ

会場では、ほかほかのチョコチップ入り黒パンが配られた。赤いTシャツに書かれていたのは「100%黒パンの女の子」

すべてのプログラムが終わると、合唱団の人たちが次々と両手を上げ人の波をつくり始めた。それは観客席にも広がり、波が最後列まで達すると会場は大きな拍手につつまれた

踊りの祭典

第一回踊りの祭典が開催されたのは1934年のこと。1975年からは「歌と踊りの祭典」と呼ばれるようになった。全国各地から民族衣装を纏った人たちが集まり、華麗なダンスを披露する。

オーディションをパスしたのは、654グループ、約1万人のダンサーたち。この年、踊りの祭典は19回めを迎えた

民族衣装と花冠が愛らしい

様々なフォーメーションをつくり、観客を楽しませる

全員揃うと圧巻！全国各地から選抜された人たちが渾身のダンスで最後を飾る

踊りの祭典が終了すると、グループごとに輪ができ、互いに讃え合った

クラシックバレエを採り入れたダンスも披露

小道具を使って男性のみが出演するプログラムも

51　エストニア　愛国心あふれる歌と踊りの祭典

タリンのクリスマス・マーケット

イルミネーションが幻想的な輝きを見せ、まるでおとぎの国のよう

絵本の中のおとぎの国へ

毎年、11月下旬から1月初旬まで、旧市街にあるラエコヤ広場でクリスマス・マーケットが開催される。

広場には、大きなクリスマスツリーを囲むようにして露店が並び、手工芸品やツリーに飾るオーナメントが勢揃い。この時期欠かせないクリスマスの飲み物グルーギーや、ソーセージにザワークラウト、ポテトを添えたクリスマスミールも味わえる。お腹を満たしたら、店を一軒一軒見て回ろう。お気に入りの品が、きっと見つかるだろう。

空が暗くなり始めると、イルミネーションがきらめき、目の前にはおとぎの国の世界が広がる。週末には、広場に設置されたステージで、ダンスショーやコンサートも。サンタクロースの家には、サンタさんに会おうと長蛇の列ができる。相棒のトナカイは、眠っているのもいれば、干し草を食んでいるのもいて、なんとものどか。

52

本物のヒツジの毛が使われている

ツリーに飾るオーナメント

子どもたちも大はしゃぎ

オーナメントの一つひとつが洗練されていて、大人買いしてしまいそう

オーソドックスなグリーンのリースもあれば、松ぼっくりやビーズでデコレーションされたものもある

クリスマスのデコレーションを売る店

雑貨店のオーナーも出店していた

アンティーク風の人形がかわいい

デザインがおしゃれなニットに毛皮をあしらったコート

53　エストニア　タリンのクリスマス・マーケット

フェルト製品がズラリと並ぶ

ジュニパーと呼ばれるネズの木でつくったカッティングボードやナベ敷き

ポーチのデザインが凝っている

こちらはムートンの店

陶磁器の店では、ビールマグやコーヒーカップなどが並んでいた

彼女が編んだというニットの帽子を購入

箒に乗った魔女がキュートな飾り用ベル

子ども用の商品も揃っている

54

期間中は、毎日10時から19時までオープン。軽食から雑貨まで揃う

ビーバーの尻尾が燻製になっているなんて衝撃！

これがチョコレート！？

チョコレートやキャンドルを売る店

エルクやイノシシのスモークソーセージもあった

チーズのほかにマスタードやケチャップ、瓶詰めのマリネも

ハチミツ専門店かと思ったら、食料品全般を扱う店だった

55　エストニア　タリンのクリスマス・マーケット

ワッフルはお好みでチョコレートかキャラメルのソースをはさんでくれる

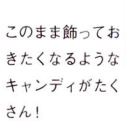

クリスマスミールをつくるのに大忙し

このまま飾っておきたくなるようなキャンディがたくさん！

オーガニック食品の店では、ブラックカラントとブルーベリーのグルーギーを発見。グルーギーとはクリスマスに飲むスパイス入りワインのことだが、これはアルコール分ゼロ

パンケーキのソースは、サワークリームチーズ、チョコレート、ジャム、キャラメルの中から選べる

エストニアのお酒ヴァナタリンのグルーギー。アップル味もある

ライオンズクラブの活動としてハチミツ製品を販売。店の横には大きな球型の募金箱が設置されていた

ジンジャー入りのクッキー「ピッパルコーク」は、クリスマスのお菓子

56

メリーゴーランドがライトアップされ、子どもたちのテンションも上がる

柵の中で気持ちよさそうに眠っているトナカイ

タリンのクリスマス・マーケットは、特別な思い出を残してくれる

フード類は、簡易テーブルで立ったままいただく

サンタクロースの家には行列が！

57　エストニア　タリンのクリスマス・マーケット

シルリさんちのクリスマス

「Häid jõule!(=メリークリスマス!)」と声高らかに両家で乾杯。ワインはお母さんの手づくり

家族揃ってクリスマス

エストニアの家庭では、どんな風にクリスマスをお祝いするのだろう。現地で知り合ったシルリさんと彼女の恋人シルベルさんにお願いして、クリスマスパーティーに招待してもらった。

毎年、12月24日に家族でお祝いをするそうだが、今年は引っ越しのお祝いも兼ねて、両家の家族が二人のアパートに集まった。この日が初顔合わせということで、最初は皆、緊張気味だったが、すぐに打ちとけてクリスマスディナーをいただくことに。クリスマスの伝統料理である、血のソーセージとポテトサラダ、そして、ニシンやミートボール。エストニアでは肉料理というと豚を好む人が多く、この日は豚肉のオーブン焼きも用意されていた。お酒は持ち寄りのワインやウォッカ、そしてデザートのケーキも。こんな風にごちそうを食べて、おしゃべりをしたり、テレビを見たり、まるで日本のお正月のようだった。

58

何が入っているのか興味津々の様子

血のソーセージや豚肉のオーブン焼き、ポテト、穀物入りザワークラウトなどがのったクリスマスプレート

丸い形をしたカボチャのケーキは、シルリさんのお母さんが焼いたもの

サワークリーム味のミートボールと、キュウリ、カボチャ、キノコのピクルス

クリスマスにはどこの家庭でも登場するピッパルコーク

引っ越し祝いも兼ねて、両親からポットが贈られた。エストニアでは引っ越しをすると、「塩と黒パンのパーティー」を開くそうだが、昔は、招待客が塩と黒パンを持参し本人にプレゼントする習慣があったという

両家揃って記念撮影。彼の兄弟や甥っ子もあとから加わり、にぎやかなクリスマスとなった

飼い猫のシースーも、お祝いに参加

シルリさんお手製のチョコバターケーキ

59 　エストニア 　シルリさんちのクリスマス

手しごとを愛する人たち

ハープサル・レースセンターの中にあるミュージアムに展示されていたレースのモチーフ

エストニアには、古くから伝わる手しごとを愛する人たちがいる。ハープサルレースのマイスターであるリンダさんとムフ刺繍の達人シリエさん、黒パンづくりの名人アヌさんに話を伺った。

ハープサルレースのマイスターを訪ねて

エストニアの西に位置するリゾート地ハープサル。この小さな町にハープサルレース編みの名人がいるというので訪ねた。

ハープサル手工芸協会が運営するハープサル・レースセンターで、マイスターのリンダさんと待ち合わせ。やって来たのは、白髪のかわいいおばあちゃん。挨拶もそこそこに、糸を通したリングを振り子のように振りはじめた。リングが時計と反対に回り出すと、また別の場所で振り、ようやく白いベンチにたどり着いたところで、リングが時計回りに回り出した。すると、ちょこんとベンチに座るリンダさん。よいエネルギーが通っている場

60

ハープサルレースの大家リンダ・エルガスさん。ショールを1枚つくるのに、早くて2週間、大きなサイズは1～2カ月かかる。彼女の作品は併設のショップでも購入できる

HAAPSALU PITSIKESKUS
ハープサル・レースセンター

- 住) Karja 25, Haapsalu
- ☎) 5628-7800
- 営) 11:00〜16:00（土曜〜15:00）
- 休) 日・月曜
- MAP) P64
- HP) http://www.haapsalusall.ee

ショーウィンドウに飾られていたレースのワンピースとパラソル、そしてベビーカーも

上質なショールはリングを通り抜ける

　所を探していたようだ。
　リンダさんは1928年生まれ。レースを編むようになったのは14歳のとき。第二次世界大戦のさなかで物がない時代だったため、服やショールなどを自分で編むようになったという。ハープサルレースは、ヌプと呼ばれる玉のようなものが編み込まれているのが特徴。ヌプがあるのが、ハンドメイドの証拠。機械編みではつくれない。ハープサルレースというとショールが有名だが、伝統的なものは100センチ角〜150センチ角ほどのサイズで正方形の形をしている。最高級のショールは、リングを通り抜けるほど、繊細で柔らか。今でも正方形の型は編まれているが、ほとんどが長方形で三角形のものも多く編まれている。カラフルな糸も揃うが、ポピュラーなのはオフホワイト。モチーフも昔は、木や草花など、わずかだったが、現在は何百種類とある。こうして、マイスターから話を伺い、ハープサルレースの世界に引き込まれていった。

61　エストニア　手しごとを愛する人たち

スウェーデン皇太子に贈られたクラウン・プリンスのモチーフ

グレタ・ガルボに贈られたのは、ハートのモチーフだった

ミュージアムには、レースのドレスやショールなどの作品が展示されている

スタッフのミリヤさん（左）とアイデーさん（右）

歴史に翻弄されながらも伝統を守り続ける人たち

ハープサルレースの始まりは19世紀初頭。当時の女性は、生活費を稼ぐためになにかつくれないかと考え、レース編みを始めるようになった。初期の頃のレースのショールは、地元の羊毛を使って家で糸を紡いでいたため比較的厚手。そのうち工場で糸を生産するようになり、細い糸が手に入るようになる。

一躍人気となったのは、1825年ハープサルに泥治療の施設が設立されたことがきっかけだった。ロシアの皇族や貴族が保養に訪れるようになると、小さな町はリゾート地として発展していく。それに伴い、滞在するご婦人方を魅了していったのが、ハープサルレースのショールだった。

第一次世界大戦中、レース編みは減少したものの、ロシア帝国崩壊後に独立を果たしてからは、製作を再開。スカンジナビアの国々やドイツ、イ

62

手工芸協会の会員たちで、月に一度開いているという誕生会。テーブルにはオープンサンドウィッチやスイーツがいっぱい

併設のショップには、ショールが販売されている

皆で持ち寄って、おしゃべりしながいただくのが楽しい

カラーバリエーション豊富なショールも

昔は娘の結婚が決まると、母親がハープサルレースのウエディングドレスをつくったものだった。ソ連時代は物資が不足していたため、ウエディングドレスの糸をほどいて、服につくり変える人もいた

毛糸や編み針などの道具も扱っている

ギリス、カナダからもレース製品を買い求める人々がやって来た。

ハープサルレースは高価なギフトとしても知られるようになり、1932年に当地を訪れたスウェーデン皇太子グスタフ・アドルフには、八角の星型のデザイン「クラウン・プリンス」のショールがプレゼントされ、1936年には、ハートをモチーフにしたショールがグレタ・ガルボに、1992年には、スズランのモチーフのショールがスウェーデンのシルビア王妃に贈られた。

そして1940年代、ソ連がエストニアを併合すると、ハープサルレースは大量生産を余儀なくされ、機械編みの時代へ。そのためヌプのないショールが生産されたが、伝統的な編み方は家庭で母から娘へと受け継がれていく。昔は、娘が7〜8歳になると、母親がレース編みを教えたそうだ。今は、学校でも教えるようになったそうだ。再び独立を勝ち取ったこの地で、ハープサルレースの伝統はこれからも守られていくだろう。

63 エストニア 手しごとを愛する人たち

> ハープサルの気になる
> ショップ&レストラン

手工芸品が充実の
ハンドクラフトショップ

Ehe ja Ehtne käsitöö
エヘヤ・エフテナ・カシトゥー

住 arja 4, Haapsalu
☎ 5345-3853
営 10:00〜20:00
休 なし
MAP P64
HP http://www.ehejaehtne.ee

店内は、エストニア全土から集められた手工芸品で埋めつくされ、木工製品からフェルト、ニット製品まで、お土産に買いたくなるものが揃っている。

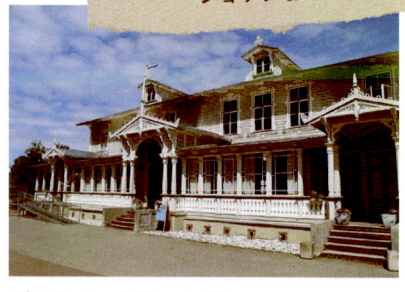

プロムナード沿いに建つ
サマーレストラン

Haapsalu Kuursaal
ハープサル・クールサール

住 Promenaadi 1, Haapsalu
☎ 5646-2466
営 12:00〜22:00
休 なし(10〜4月は休業)
MAP P64
HP http://kuursaal.ee

海を眺めながら食事ができるレストラン。19世紀末に建てられた木造の建物は、かつてロシアの皇族や貴族たちお気に入りのサロンとして使われていた。

ハープサルマップ
- 沿岸スウェーデン人の博物館 Rannarootsi Muuseum
- サダマ通り Sadama
- ザ・スパホテル ライネ・ヘルスセンター The Spa Hotel Laine Health Centre (P65)
- ヴァイケ・ヴィーク沼 Väike-Viik
- チャイコフスキーのベンチ
- ハープサル・クールサール Haapsalu Kuursaal (P64)
- イロン・ヴィークランドのギャラリー Ilon's Wonderland
- ルートリ通り Rüütli
- ラヘ通り Lahe
- エヘヤ・エフテナ・カシトゥー Ehe ja Ehtne käsitöö (P64)
- ラーネマー博物館 Läänemaa Muuseum
- カルヤ通り Karja
- 観光案内所
- 僧正の城 Piiskopilinnus
- ハープサル・レースセンター HAAPSALU PITSIKESKUS (P60)
- ポスティ通り Posti

古きよき時代の雰囲気を残したレストラン。ステージでは生演奏が入ることもある

column
マッド・トリートメント

　ハープサルは、泥治療で有名なリゾート地。海泥が治療に役立つとわかったのは、カール・アブラハム・ヒュニュスという医師が海で見かけたなにげない光景からだった。地元の漁師が海の泥で手を温めているのを見て、何か体によい成分が含まれているに違いないと直感。早速、研究を始め、リューマチなどの痛みを和らげる効果があることを発見する。1825年には泥治療の施設を設立。ロシア皇帝一家や貴族など、セレブたちが保養に訪れるようになり、町は繁栄した。1905年には、サンクトペテルブルクからタリンまでの鉄道が開通し、ますます人々がが訪れるようになる。まさに、黄金時代の到来だった。

　泥治療には、ミネラルや有機物を含むタガラへ湾の堆積泥を使用する。泥を塗ることで、老廃物を排泄し、新陳代謝を促進。細胞の再生を加速させる。慢性的な炎症と痛みを和らげ、保湿効果もあるそうだ。

ハープサルの「ザ・スパホテル ライネ・ヘルスセンター」では、マッド・トリートメントが受けられる。この装置の中には約2kgの温かい泥が入っており、筋肉痛や関節痛に効果がある

フルボディーのマッド・トリートメントを体験！38～42℃に温めた泥を全身にかけ、ビニールシートと毛布で包みこむ。15分経過したら、シャワーを浴びて終了。体が温まり肌はスベスベに

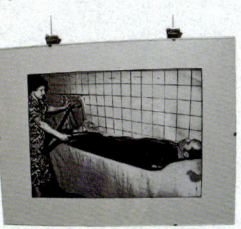

ハープサルの南東に位置するパルヌも、泥治療で有名なリゾート地。「テルビス・メディカル・スパホテル」には、ソ連時代の施術写真が展示されている。パルヌでは湖の泥を使用

昔の泥治療に使用されていた道具。作曲家のチャイコフスキーも療養に訪れたという

エストニア ✦ マッド・トリートメント

自宅の離れにはショップ兼工房があり、シリエさんの作品を購入できる

ムフ刺繍が施されたクッションカバー。庭に咲く花をモチーフにしている

ムフ刺繍に魅せられ工房をオープンした女性

ハープサルからバスに揺られ、ヴィルツ港からバスごとフェリーに乗って、ムフ島へと向かう。この島で手工芸品の工房を構える女性がいると聞き、会いに行った。

緑が広がる自然豊かな場所に建つ木造の家々。オレンジ色のかわいい看板に導かれ、彼女のお宅へ。迎えてくれたのは、手工芸家のシリエさん。早速、ショップ兼工房の建物へと案内してくれた。まず目に入ったのが、黒い生地に赤やオレンジの鮮やかな花刺繍が施されたウォール・ラグ。10年前に4カ月かけて作製したもので、今なら2カ月もあればつくれるという。ほかにも、クッションカバーやシューズ、小物入れなど、バラエティに富んだムフ刺繍のアイテムがディスプレイされていた。奥の方には、存在感を放つ大きな織機が一台。こちらは、床に敷くラグマットを

66

下絵は修正ペンで描いている。歯磨きペーストを使う人もいるそうだ

現在のムフ刺繍は鮮やかな色糸を使っているが、昔は植物や野菜などで糸を染めていたそうだ

母屋の工房には大きな作業台が置かれ、ここでワークショップなども行っている

Männiku Käsitöötuba
マニック・ハンドクラフトルーム

- 住）Koguva küla, Muhu
- ☎）5385-6270
- 営）11:00〜17:00
- 休）不定
- MAP）P69
- HP）http://web.zone.ee/sirjetyyr

織るときに使うものらしい。店内を見渡すと、ムフ刺繍だけでなく、ハンドメイドのシルクスカーフも。どれもシリエさんの作品で、購入はもちろん、ハンドメイドの体験もできるという。

場所を母屋へと移し、もう一つの工房にもお邪魔しました。先ほどのウォール・ラグより一回り大きな作品が飾られている。立てかけてあるドア板には、ムフ刺繍の絵柄がペインティング。長いテーブルの上には、ブルーの布が広げられ、そこには刺繍の下絵が描かれていた。

シリエさんはイスに腰掛けると、ムフ刺繍を始めたきっかけを語り出した。彼女はタリン出身で17歳のとき、友達とこの地を訪れたそう。風景をスケッチしていたところ、現在の夫に声をかけられ

67　エストニア　手しごとを愛する人たち

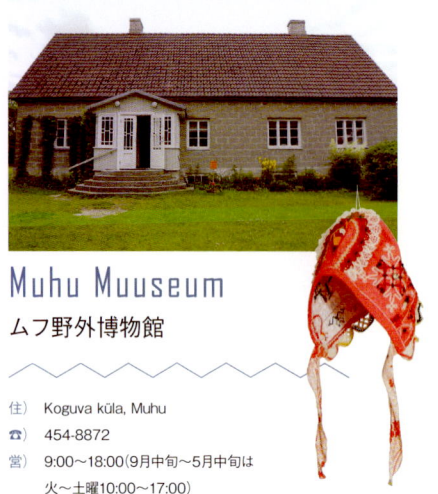

Muhu Muuseum
ムフ野外博物館

- 住： Koguva küla, Muhu
- ☎： 454-8872
- 営： 9:00～18:00（9月中旬～5月中旬は火～土曜10:00～17:00）
- 休： なし
- 料： 4ユーロ
- MAP： P69
- HP： http://www.muhumuuseum.ee

刺繍やビーズ、レースなどが施されキュート！

ムフ刺繍が施された大きな布は、昔はベッドカバーとして、現在は壁に飾るインテリアとして使われている

館内ではムフ島の伝統的な衣装や刺繍アイテムを見ることができる

昔の男性は、家族を守れる強い女性が好みだったので、女性はスカートを2枚はき、ソックスも重ね履きをして頑丈さをアピールしていたそうだ。既婚女性はタヌと呼ばれる小さな帽子を頭にちょこんとのせていた

ムフ野外博物館で見つけたムフ刺繍

シリエさんに勧められてやって来たのが、ムフ野外博物館のなかのテキスタイル・ミュージアム。伝統的なムフの民族衣装と刺繍アイテムが展示されている。

たのだとか。これがきっかけでムフ島に嫁ぐことになったのだが、家の周りにはただ自然があるだけ。働きに出たくても仕事がない。そんな状況の中で見つけたのが、ムフ刺繍だった。独学で学び、今では人に教えるほどの腕前に。好きなことを仕事にしているので、毎日が楽しいという。女性にとって、憧れのライフスタイルといえるだろう。

上は20世紀初頭のもので、クロスステッチが施されている。大きな花のデザインは、17～18世紀のドイツのバロックやロココ調の刺繍パターンから影響を受けたといわれ、ムフ刺繍の伝統は今も受け継がれている

68

ムフ島マップ

- ノムクラ Nõmmküla
- ヴァフトラスト Vahtraste
- ラリ Lalli
- コグヴァ Koguva
- ムフ野外博物館 Muhu Muuseum (P68)
- ムフ・プイドゥコーダ Muhu Puidukoda (P69)
- マニック・ハンドクラフトルーム Männiku Käsitöötuba (P66)
- エームの風車 Eemu Tuulik
- リーヴァ Liiva
- クイヴァストゥ港 Kuivastu sadam
- ヴィルツ港 Virtsu sadam
- サーレマー島 Saaremaa
- パダステ Pädaste

ムフの気になるショップ

ミトンにもかわいいムフ刺繍が！

木工製品も多数、取り揃えている

ムフ刺繍や木工製品、お土産が満載

Muhu Puidukoda
ムフ・プイドゥコーダ

- 住) Liiva Küla, Muhu
- ☎) 454-5777
- 営) 11:00〜18:00 (5/1〜9/15)
- 休) なし
- MAP) P69
- HP) http://www.puidukoda.ee

島の中心にある手工芸品店。ムフ刺繍のアイテムはもちろん、刺繍糸も販売している。刺繍の下絵が描かれた布も扱っているので、これを機会にムフ刺繍に挑戦してみるのもいいかもしれない。

サーレマー島の風車群で黒パンづくりを教わる

エストニア人にとって黒パンは特別な存在。外国に出かけるときは、ふだん食べているライ麦100%の黒パンを持参する人もいるほど。昔はどこの家庭でも手づくりしていたが、今はベーカリーやスーパーで購入する人がほとんど。つくるのに結構、手間がかかるらしい。

パンがまだ貴重だった頃は、パンを落としたらパンに謝ってキスをして食べたという話もある。窯から出してすぐにパンを切ると不運に見舞われるなど、数々の言い伝えが残っている。さすが、黒パンを愛する国。

そこで、黒パンのつくり方を教えてくれる人を探したところ、サーレマー島北東部の風車群にアヌさんという名人がいることを突き止める。すぐに会う約束をして、島へと向かった。「アングラ風車群」には文化センターがあり、黒パンづくりを

中はしっとり、外はカリッと。ガーリック＆オニオンバターで、おいしくいただいた

はじめとする、様々なワークショップを用意している。訪ねた日は、アシスタントのメリリーさんもいて、和やかな雰囲気の中、昔ながらの黒パンづくりを教わった。

昔ながらの製法で黒パンを焼く

早速、アヌさんからつくり方を教えてもらう。まずは粉を挽くところから。気が遠くなりそうだが、昔の人はこうして時間と労力を使いながら黒パンをつくっていたのだろう。パンのサイズも6〜12キロとかなり大きかったらしい。

メリリーさん(左)とアヌさん(右)

④
15分ほど布をかけて発酵させる

文化センターで、黒パンづくりを学ぶ。材料はライ麦粉、水、塩、砂糖、天然酵母

⑤
生地を温めた石窯の中へ入れ約1時間

⑥
ライ麦100%の黒パンの出来上がり！

②
台の上にライ麦粉を広げ、ねかせた生地をこねる。その間、石窯を温めておく

③
成形したら容器へ。指で3カ所穴を開ける。これは三位一体を意味するそうだ

①
まずライ麦を石臼で挽いて粉にする。材料を混ぜてこねたら、生地に布をかけ、暖かいところに2日間ねかせておく

71　エストニア　手しごとを愛する人たち

ワークショップで
ハンドクラフト体験

文化センターでは、ほかにもこんなワークショップを開催している。どれも1時間半〜2時間で体験でき、料金はどれも10ユーロ。予約をしてから行こう！

陶器づくりにも挑戦してみよう。ソープディッシュや花瓶、プレート、カップなど、お好みを

織機でカーペットを織るのも楽しそう

ラムウールを使って糸紡ぎの体験！

サーレマー島で採掘されるドロマイトをニードルマシーンで彫る。絵柄や文字を彫って旅の記念に

フェルト製品のワークショップではアクセサリーなどを作製

こんなかわいい作品ができる

窓辺にはフェルトでつくった花が飾られていた

広い敷地に製粉用の風車が5基保存されている。オランダ式風車の中に入って構造を見てみよう！

風車それぞれに名前が付いている

ヒツジやヤギ、ウサギなどの動物も

ANGLA TUULIKUMÄGI
アングラ風車群

- 住) Angla küla, Leisi vald, Saare maakond
- ☎) 5199-0265
- 営) 9:00〜20:00(10〜4月は〜17:00)
- 休) なし
- 料) 3.5ユーロ
- MAP) P73
- HP) http://www.anglatuulik.eu

サーレマー島の北東部に位置し、現在、5基の風車がある。1基はオランダ式で、風向きに合わせてトップ部分だけが回転する仕組み。残りの4基はエストニアの風車で、ボディ全体が回る構造になっている。かつて島には800基ほどの風車があったそうだが、今はここに残るわずかな風車のみ。10月にはブレッドフェスティバルを開催し、バラエティに富んだパンが手づくりされる。

サーレマー島マップ

- パンガ断崖 Panga Pank
- ヒーウマー島 Hiiumaa
- レイスィ Leisi
- アングラ風車群 ANGLA TUULIKUMÄGI(P70)
- ムフ島 Muhu
- キヘルコンナ Kihelkonna
- カル湖 Karujärv
- オリッサーレ Orissaare
- ミフクリ農場博物館 Mihkli talumuuseum
- アステ Aste
- カーリ・クレーター Kaali Meteoriidikraatrite väli
- クレッサーレ城 Kuressaare Linnus
- クレッサーレ Kuressaare
- アブルカ島 Abruka

エストニア　手しごとを愛する人たち

キフヌ島の素朴な暮らし

赤い縞模様のスカートをはく女性たち

バルト海リガ湾に浮かぶキフヌ島は、島民わずか500人の小さな島。男性のほとんどが船乗りで、女性は留守を守りながら、家事や子育て、牛の世話、農作業と何でもこなす。伝統衣装の赤い縞模様のスカートをはき、昔ながらの習慣や文化を大切にして暮らす女性たちは、たくましく頼りになる存在。そんな強い女性の一人、マーレさんのお宅を訪ね、キフヌ島の暮らしを体験させてもらった。

女の子が3人、男の子が1人のにぎやかな家庭。ご主人のオラビさんは貨物船の仕事で1カ月おきに海へ出て行く。マーレさんはいつも休むことなく動き回り、オラビさんも家の修理や燻製づくりに忙しい。子どもたちは庭のブランコで遊んだり、ネコとじゃれ合っている。田舎の親戚の家に遊びにきたような気やすさで、キフヌの人たちと触れ合い、伝統文化に親しんだ。

私が宿泊した離れの家はサウナを備え、テラスにはバーベキューの道具も。敷地には母屋のほかに、親戚のおばさん宅や物置小屋、畑、牧場もあってかなりの広さ

祭りがあると、子どもたちも伝統衣装を着る

ヒツジやニワトリなど、エサの時間になると集まって来る

食事の前にお風呂に入って体を温める子どもたち

ソファやクッションもスカートと同じ柄でコーディネート

家族揃ってのディナー。オラビさんがスモークしたウナギとスズキをいただいた

手際よく料理をつくるマーレさん。既婚女性はスカートの上にプリント柄のエプロンを着ける習慣がある

お客様を島の伝統料理でもてなすというので、この日は準備で大忙し

皿に盛ったのは、ピクルスにジャガイモ、ニシン、豚の脂肪のかたまりをオニオンと一緒に炒めたもの、ネギのサワークリーム和え、アザラシ肉の燻製。かつて、島ではアザラシ漁が盛んだったが、1980年代に捕獲が禁止になり、現在は限定的に食べることができる

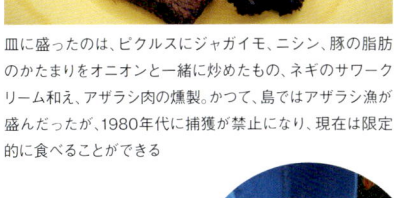

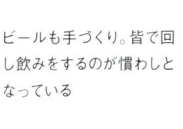

何カ月も前からつくり置きしていたニシンの塩漬け。冬になると雪に覆われ、ほとんど外出することがないというから、こうした保存食は不可欠

ビールも手づくり。皆で回し飲みをするのが慣わしとなっている

パルヌから島に遊びに来た人たち。同じエストニア人でも、キフヌ島の暮らしに興味があるようだ。皆で島の伝統料理を満喫した

レンタサイクルで島めぐり

南北に7キロ、東西に3キロという小さな島なので、自転車をレンタルして島を一周するのもおすすめ。欧米人サイズなのか、地面に足が着かない自転車が多いので、サドルを調整するか、子ども用を借りよう。島の美しい景色を眺めながら、風を切って走るのが気持ちいい。

こんなのどかな光景が島にはたくさんある

前髪がいい感じに伸びている牛たちに遭遇

大きなキノコにびっくり

インパクトがあってかわいい郵便受け

島の中心地に建つ聖ニコラス教会。17世紀スウェーデンが支配していた時代は、ルーテル派のプロテスタントだったが、ロシア統治時代の1840年代、皇帝から土地をもらうことを期待した島民たちは、ロシア正教会に改宗。司祭は常駐しておらず、月に1回来島する

島の南部に建つ灯台は、1864年の英国製。灯台までの道筋がわからず、マーレさんちの三姉妹が途中まで案内してくれた

キフヌ島の結婚式のドキュメンタリーDVDに出演していた花嫁さん。偶然にも道でバッタリ。もう2人のお子さんがいるという。DVDには、島の伝統的な結婚式の様子が収められている

灯台のてっぺんまで上ると、島の先端がよく見える

民俗文化に触れる

「きょうは歌と踊りのミニコンサートがあるから行ってみるといいわよ」というマーレさんの勧めで、会場を訪ねた。到着すると客はまだ来ておらず、出演者は手工芸品の資料館の中で、おしゃべりをしながら待機していた。壁いっぱいにミトンや靴下、刺繍製品が展示されている。

コンサートでは、島に伝わる手工芸品の紹介も交えながら、歌と踊りを披露。島民が大切に守ってきたこれらの文化は、2003年ユネスコ無形文化遺産に登録された。

子どものうちから伝統をしっかり受け継いでいく

ミニコンサートは、手工芸名人の旧宅を改装した資料館の前で行われた

靴下を編みながら、おしゃべりが弾んでいたおばあちゃんたち。こうした光景も文化紹介の一つ

一人黙々と組みひもを編む女性

冠婚葬祭など、何かにつけ歌う機会が多い島の女性たち。恋愛や仕事など、島の日常を歌う。女性同士で輪になって踊ったり、ペアを組んで踊ったりする

足元もかわいい！子牛の革でできたパストラドという靴。赤いヒモが付いていて、靴下が落ちてくるのを防いでいる

77　エストニア　キフヌ島の素朴な暮らし

ミュージアムでキフヌの文化を知る

学校だった建物を利用して1974年にオープンしたミュージアム。キフヌに暮らす人々の生活道具や衣装、家具などが展示されている。アザラシ漁や農作業、家畜の世話、機織りなど、島の仕事をパネルや映像でも紹介。島出身のナイーブ派画家の作品も見ることができる。

キフヌの伝統文化のなかでも興味深いのが結婚式。古い時代のビデオ映像が流れていたが、その内容はかなりユニーク。伝統的な結婚式は教会で式を挙げたあと、両家の家で3日間通して行われ、花嫁が花婿の家に入る際には、ウイグと呼ばれる白い布で顔を覆い邪悪なものから身を守る。到着して席に着くと義母が木製の剣を使って布を外し、タヌという帽子

KIHNU MUUSEUM
キフヌ博物館

- 住) Külaotsa, Linaküla, Kihnu vald, Pärnu maakond
- ☎) 581-88094
- 営) 10:00～17:00（5～9月）
  10:00～14:00（9月の火～日曜、10～4月の火～金曜）
- 休) なし（5～9月）
- 料) 3ユーロ
- MAP) P80
- HP) http://www.kihnu.ee

クルトと呼ばれる伝統的な縞のスカートは、若いうちは喜びを表す赤が多いが、年を重ねると悲しみも増えるので、青や黒など寒色系のスカートをはくようになる。気持ち次第なので、お年寄りでももちろん赤をはく人はいる。結婚式には明るい色を、葬式には暗い色のスカートをはく。島の女性は冬の間に生地を織り、自分でスカートをつくるそうだ

昔はこのようなスタイルでアザラシ漁に出ていた

スカート生地と同じ柄のベッドカバー

78

を被せる。これで正式に嫁入りとなる。花嫁は、大きなチェストいっぱいに贈りものを持参。村の女性たちに手伝ってもらいながら編んだ靴下やミトンを紐で束ね、花婿の家族や親戚に配る。祝いの席は、ダンスや歌で盛り上がり、豚の丸焼きなどのごちそうも。お酒は豪快にも、ビンごと回し飲み。気取らないのがキフヌ流なのだ。

ミュージアム・ショップ

島の女性たちが手づくりした雑貨やニット製品ほか、キフヌ島の歴史が書かれたパンフレット、地図なども販売している。海外に住むキフヌ出身者の作品も置いており、バラエティに富んだグッズに出合える。

島の女性は、普段クルトに花柄のブラウスを合わせて着用する

人形やリストバンドなど、ハンドメイドの商品が並ぶ

伝統的な結婚式の様子。白い布を被っているのが花嫁

スカート生地でつくったポシェットや端切れを利用したパッチワークの巾着など、女子心をくすぐるものばかり

男女正装のスタイル。男性はトロイと呼ばれるセーターを、女性は赤の縞模様のクルトに、刺繡が施されたカウセッドと呼ばれるブラウスを着用。大判のスカーフを肩に掛け、ビーズや刺繡が華やかなタヌという帽子を被る。結婚式では花嫁は同じ装いをし、男性は黒いスーツを着用する

夏至祭でファイアー!

エストニアでは、6月24日の聖ヤーンの日を夏至祭とし、前夜祭が一番盛り上がりを見せる。キフヌ島では古い木造ボートを燃やして、その周りで音楽に合わせて踊ったり、お酒を飲んだりして夜通し騒ぐ。この日は、島民のみならず、観光客も押し寄せていた。

夏至祭は村の広場で行われ、赤い伝統衣装を身に着けた女性たちが歌と踊りを披露した

今晩、燃やす古いボート。最近は木造ボートをつくらなくなったので、こうした光景が見られるのもあと数年かもしれないと話す人も

音楽隊も活躍。島ではバイオリンやアコーディオンがメジャー

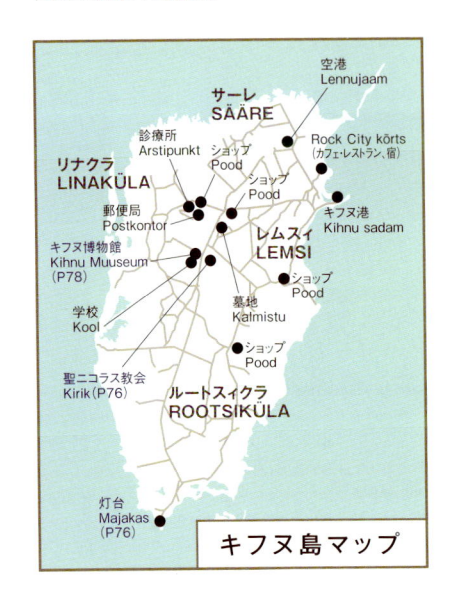

キフヌ島マップ

- 空港 Lennujaam
- サーレ SÄÄRE
- 診療所 Arstipunkt
- ショップ Pood
- Rock City kõrts (カフェ・レストラン、宿)
- リナクラ LINAKÜLA
- ショップ Pood
- 郵便局 Postkontor
- キフヌ港 Kihnu sadam
- キフヌ博物館 Kihnu Muuseum (P78)
- レムスィ LEMSI
- ショップ Pood
- 学校 Kool
- 墓地 Kalmistu
- ショップ Pood
- 聖ニコラス教会 Kirik (P76)
- ルートスィクラ ROOTSIKÜLA
- 灯台 Majakas (P76)

互いの腕を組み大合唱。キヒヌの歌は500曲くらいあるそうだ

夜10時くらいにボートに火を点け、朝方まで燃やし続ける

燃えるボートの周りで皆、踊り出す。夜中の12時を回っても、子どもが踊っていたのには驚いた。私もこのまま踊り続け、一睡もしないまま、翌日キフヌ島をあとにした

子どもたちも夏至祭に参加

女性だけの踊りが多いのは、島の男性が海に出て留守がちだったからなのかもしれない

81　エストニア　キフヌ島の素朴な暮らし

エストニアのお土産

かわいい雑貨に出合ったら、迷うことなく買って帰りたい！行く先々で見つけたお気に入りは、エストニアの思い出とともに大切な宝物になるはず。

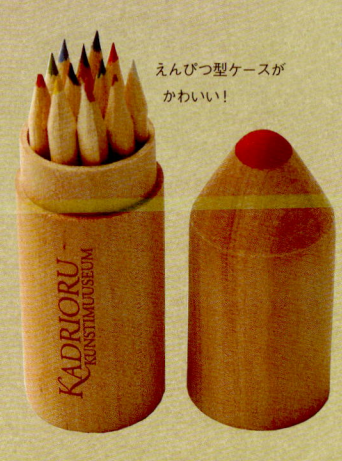

エストニア野外博物館の古い家屋の前でおばあちゃんが販売していた蝶々のブローチとブックマーク

えんぴつ型ケースがかわいい！

ハーブサルのショップで購入したフェルトのブローチ

色えんぴつが筆箱に入って、持ち運びに便利

クム美術館のミュージアムショップでボールペンを購入

キフヌ島の女性が頭に被ったり、肩にかけたりする花柄の赤いスカーフ

リネン製の花瓶敷き

ブローチタイプのリフレクター

キフヌ島で暮らす女性がつくったハーブ入りソープ

ハーブサルレースのマイスターであるリンダさんが編んだ、スズランをモチーフにしたショール

コースターに描かれているのは、ムフ刺繍のデザイン

ムフ刺繍の名人シリエさんがペインティングしたボタン

ソックスにはムフ刺繍の絵柄が入っている

ムフ島で見つけたフェルトのルームシューズ

ハート型のボディスポンジはリネン製

クリスマスツリーのオーナメントを売るショップで、モコモコのヒツジを発見！

シリエさんが刺繍を施した小さなポシェット

クリスマスマーケットでニットの帽子を購入

パッチワークの巾着は、キフヌ島の女性が手づくりしたもの

キフヌ博物館のショップで一目ぼれしたネックレス

花の飾りがキュートなフェルトの財布

部屋に飾ると幸せを呼ぶ「幸運の天使」

83　エストニア　エストニアのお土産

タリンのホテル

中世の街並みが広がる旧市街には、歴史ある建物を利用したホテルが揃っている。昔の雰囲気を残しつつ、モダンに改装されたホテルで快適に過ごしたい。

Hotel Telegraaf
ホテル・テレグラーフ ★★★★★

1878年の建築で、銀行、逓信局として利用されていた建物をホテルに改装。歴史的な魅力とモダンを備えた客室が86室ある。

住) Vene 9, Tallinn
☎) 600-0600
MAP) P10
HP) http://www.telegraafhotel.com

Merchant's House Hotel
マーチャンツ・ハウス・ホテル ★★★★

中世の商家の住宅を改装したホテル。14世紀と16世紀建築の二つの棟からなり、客室は37室。宿泊者は無料でサウナを利用できる。

住) Dunkri 4/6, Tallinn
☎) 697-7500
MAP) P10
HP) http://www.merchantshousehotel.com

THE THREE SISTERS HOTEL
ザ・スリー・シスターズ・ホテル ★★★★★

1362年建築の商家の住宅を改装し、ホテルとしてオープン。その外観から「三姉妹」と呼ばれ親しまれている。中世の面影が残る客室が自慢。

住) Pikk 71/Tolli2, Tallinn
☎) 630-6300
MAP) P10
HP) http://www.threesistershotel.com

MY CITY HOTEL
マイ・シティ・ホテル ★★★★

1950年代に建てられた建物は、かつて海軍司令部として使われていたこともあったが、2001年にホテルとしてオープンした。

住) Vana Posti 11/13, Tallinn
☎) 622-0900
MAP) P10
HP) http://www.mycityhotel.ee

LATVIJA
ラトビア

1935年に独立戦争の戦没者を悼んで建てられた自由記念碑。自由の女神像が掲げている星は、クルゼメ、ヴィゼメ、ラトガレの3つの地域の連合を表している

ラトビアはどんな国?

バルト三国の中央に位置するラトビアは、国土の半分を森林が占め、数千もの湖や湿地帯が点在する自然豊かな国。13世紀にはリヴォニア騎士団、ドイツ騎士団により支配され、ハンザ同盟に加盟。商業都市として発展するものの、16世紀以降はポーランド、リトアニア、スウェーデン、ロシアにより、次々と支配を受ける。1918年の独立宣言後は、めざましい発展を遂げ、リガの街並みは「バルトのパリ」と呼ばれるまでになるが、1940年にはソ連により併合。その後、ドイツ占領下を経て、1944年に再びソ連に支配されてしまう。1991年に独立を回復するまでは、苦難の道を強いられるが、現在は自由な空気につつまれている。2004年にはEUに加盟。首都リガには、中世の趣きを残す旧市街やアールヌーヴォー様式の建築群が見られる新市街など、魅力的なスポットがたくさんある。

市庁舎広場に建つ聖ローランド像

ピルセータス運河の遊覧船乗り場にて

旧市街を走る観光電動車

86

リガマップ

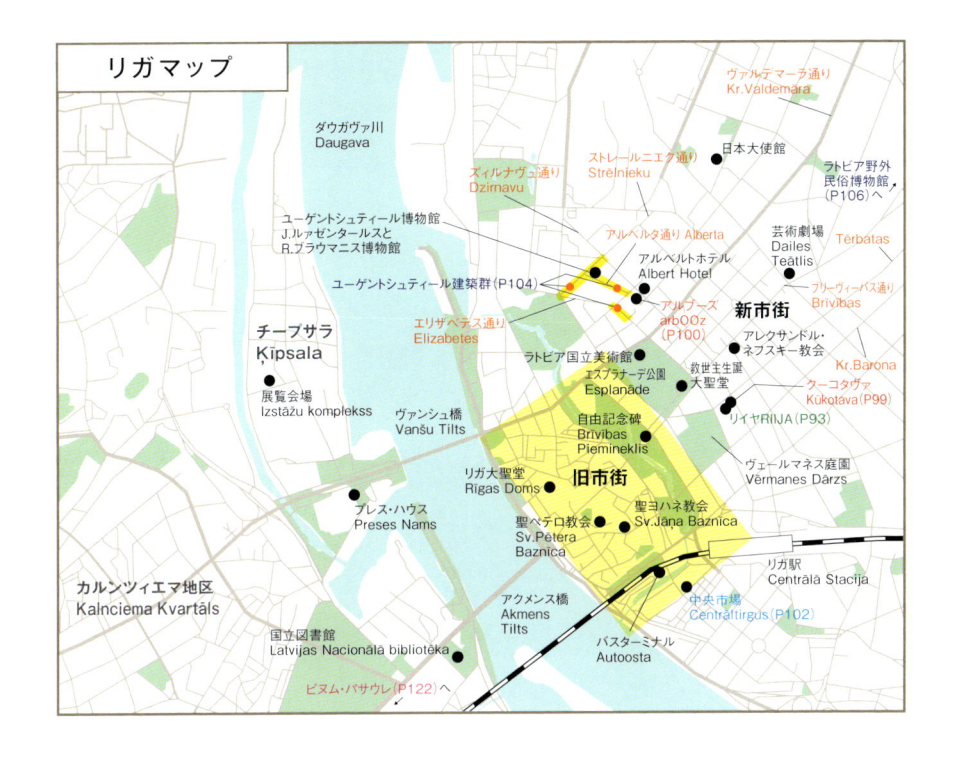

- ダウガヴァ川 Daugava
- ヴァルデマーラ通り Kr.Valdemāra
- ズィルナヴ通り Dzirnavu
- ストレールニエク通り Strēlnieku
- 日本大使館
- ラトビア野外民俗博物館（P106）へ
- ユーゲントシュティール博物館 J.ルッゼンタールスとR.ブラウマニス博物館
- アルベルタ通り Alberta
- 芸術劇場 Dailes Teātris
- ユーゲントシュティール建築群（P104）
- アルベルトホテル Albert Hotel
- 新市街
- ブリーヴィーバス通り Brīvības
- チープサラ Ķīpsala
- エリザベテス通り Elizabetes
- アルブーズ arbOOz (P100)
- 救世主生誕大聖堂
- アレクサンドル・ネフスキー教会
- ラトビア国立美術館
- Kr.Barona
- エスプラナーデ公園 Esplanāde
- クーコタヴァ Kūkotava (P99)
- 展覧会場 Izstāžu komplekss
- リイヤ RIIJA (P93)
- ヴァンシュ橋 Vanšu Tilts
- 自由記念碑 Brīvības Piemineklis
- 旧市街
- ヴェールマネス庭園 Vērmanes Dārzs
- リガ大聖堂 Rīgas Doms
- プレス・ハウス Preses Nams
- 聖ヨハネ教会 Sv.Jāņa Baznīca
- 聖ペテロ教会 Sv.Pētera Baznīca
- カルンツィエマ地区 Kalnciema Kvartāls
- リガ駅 Centrālā Stacija
- 国立図書館 Latvijas Nacionālā bibliotēka
- アクメンス橋 Akmens Tilts
- 中央市場 Centrāltirgus (P102)
- バスターミナル Autoosta
- ピヌム・パサウレ（P122）へ

聖ペテロ教会の塔の上から見たリガの街。ダウガヴァ川沿いには、かまぼこの形をした中央市場の建物が並ぶ

リガ旧市街マップ

リガ観光スポット

聖ヨハネ教会
13世紀に修道院の礼拝堂として建立、16世紀にゴシック様式の教会として再建された。外壁の十字型の穴は、中世の時代に生きたまま壁の中に入り亡くなった修道僧を偲んでつくられた。

三人兄弟
兄弟のように仲良く並ぶ3つの建物は、右が15世紀、残りの2つは17世紀の建築。現在は建築博物館になっており、内部を見学できる。

リガ大聖堂
リガの歴史と海運の博物館
僧正アルベルトが1211年に建設を開始し、その後何度も増改築が繰り返される。教会内のステンドグラスとパイプオルガンが見事。博物館にもなっている。

ブラックヘッドの会館
1334年に建設されたブラックヘッド（未婚の貿易商人のギルド）の会館。第二次世界大戦で破壊されるが、リガ建都800周年を前に1999年に再建。

自由記念碑
新市街と旧市街の境に建つ自由記念碑。1935年に独立戦争の戦没者を悼んで建てられた。自由の女神像がクルゼメ、ヴィゼメ、ラトガレを表す3つの星を掲げている。

猫の家
かつて大ギルドの入会を断られたラトビア商人が、大ギルドの会館に尻尾を向けた猫を自宅上に設置。現在は向きを変えている。

火薬塔
ラトビア軍事博物館
14世紀に建築、17世紀に修復され火薬庫として使われていた。ロシア軍による砲弾が今も壁に残る。現在は軍事博物館になっている。

聖ペテロ教会
13世紀に木造の教会が建てられ、16世紀には石造りの教会に。尖塔の高さは約123m。72mの高さに展望台があり、街を一望できる。

89　ラトビア　ラトビアはどんな国？

5Dシアターもある
おしゃれなショップ

LOOK AT RIGA
ルック・アト・リガ

- 住) Rātslaukums 7, Rīga
- ☎) 2542-2055
- 営) 10:00〜19:00(冬期11:00〜18:00)
- 休) なし
- MAP) P88
- HP) http://lookatriga.lv/store

Tシャツや伝統文様が入ったグッズ、アクセサリーなど、デザイン性に優れたアイテムが揃う。子ども向けのぬいぐるみや木製のおもちゃも扱っている。5D映像を見ながら、10分間のリガ観光ができるシアターも併設。遊覧飛行をしている気分で、リアルな体験が楽しめる。

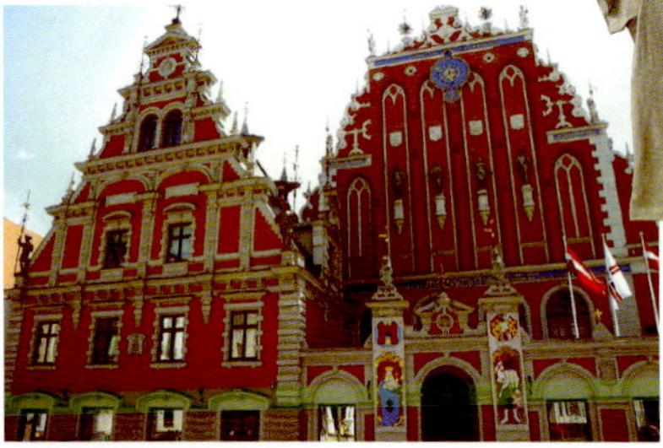

ショップでカワイイをゲットする!

リガの雑貨店を巡っていると、かわいいミトンやソックスなどニット製品を多く目にする。ラトビアの伝統文様をあしらったアクセサリーや小物も人気。カフェ併設のショップもあって、ショッピングに疲れたら、ちょっと休憩なんてことも。この国にしかない「カワイイ」を買って帰ろう!

ブラックヘッドの会館に入っている。入口は裏手のSvaru street側

マフラーとピンクの皮のシューズをコーディネート

旅の記念にリガのTシャツを!

伝統文様のベルトがおしゃれ

木片の人形に色をぬって楽しもう!

ラトビアの伝統文様がかわいいニット製品。「太陽神」や「神蛇」など、文様にはそれぞれ意味がある

90

ミトンの種類が豊富
どれにしようか迷ってしまう

Senā Klēts
セナー・クレーツ

住) Rātslaukums 1, Rīga
☎) 6724-2398
営) 10:00〜19:00(土・日曜11:00〜18:00)
休) なし
MAP) P88
HP) http://www.senaklets.lv

民族衣装などを扱うショップで、店内には各地方の民族衣装やバラエティに富んだミトン、サクタと呼ばれるブローチなど、数多くの手工芸品が並ぶ。ウエストに結ぶリェルワールデ・ベルトやブックマークもラトビア独特のデザイン。どれもハンドメイドの温もりが伝わってくる。

店内には様々な色、文様のミトンがたくさん！

リェルワールデ・ベルトには、ラトビアのシンボルが織り込まれている。民族衣装はそれぞれ、どの地方のものかわかるように説明書きが記されている

ショールを留めたり、胸元につけたりして、おしゃれを楽しむサクタ

ミトンは展示品と商品に分けてディスプレイされている

手づくりの陶磁器なども置いている

民族衣装を着たかわいい人形たち

91　ラトビア ✿ ショップでカワイイをゲットする！

ミトンの手編みキットが買える
カフェ併設のニットショップ
Hobbywool
ホビーウール

- 住) Mazā Pils iela 6, Rīga
- ☎) 2707-2707
- 営) (5〜9月)10:00〜19:00(日曜11:00〜17:00)
  (10〜4月)10:00〜18:00(日曜11:00〜15:00)
- 休) なし
- MAP) P88
- HP) http://www.hobbywool.com

帽子やショール、ルームシューズなど、ニット製品が店内を埋めつくす。レース編みの蝶の飾りや、ミトンとソックスのミニチュアストラップなど、女子心をくすぐるものも。ちょっと一息入れたいときは、併設のカフェ「māra」へ。アンティークのアイロン台が中央に置かれ、ユニークな雰囲気の中でティータイムを満喫できる。

エントランスまわりをニットでデコレーション。雨樋もニットでカバーしている！

メリノウールやモヘアなど様々な種類の毛糸玉も

センスのいいデザインが揃う

ミトンの手編みキットも販売

外出が楽しくなりそうな
ニットの帽子

たっぷり入りそうな
フェルト製のバッグ

ニットのミニクッションは、お土産に持って帰るのにちょうどいいサイズ

92

洗練された生活雑貨やアクセサリーが揃う店

ラトビアンスタイルの
生活雑貨が揃う

RIIJA
リイヤ

住） Tērbatas iela 6/8, Rīga
☎） 6728-4828
営） 10:00〜19:00（土曜11:00〜）
休） 日曜
MAP） P87
HP） http://riija.lv

食器やベッドリネン、キャンドルといった生活用品から、ビーズやレザー製のアクセサリーまで、ラトビア人デザイナーや職人によるアイテムが揃う。奥のコーナーには、子ども用のおもちゃや、おしゃれなシーリングライトも。ラトビアのライフスタイルをお手本にしたくなったらここへ。

暮らしの中にとり入れたいカゴ製品

こちらはブレスレット

自分で組み立ててつくる段ボールハウス

部屋に飾りたくなる木製の自転車

グラスや器、リネン製品など、普段使いのアイテムが並ぶ

ラトビアの伝統文様をあしらった、ビーズのブローチ

雑貨からお酒まで幅広い品揃え

レースで縁取りされているかわいいリネン製品も

棚には洗顔フォームやボディークリームも並ぶ

買いもののあとは、店内奥のカフェへ

カフェで一休みできる
スーベニアショップ

Pienene
ピエネネ

住) Kungu iela 7/9, Rīga
☎) 6721-0400
営) 10:00〜20:00
休) なし
MAP) P88
HP) http://www.studijapienene.lv

リネンやフェルト製品、オーガニックコスメが充実。「ブラック・バルサム」というアルコール度数45％の薬草酒も扱っている。黒スグリ味は30％とやや低め。かつて、風邪薬として飲まれていたこともあり体が温まる。店の奥には、ゆっくりくつろげるカフェも。

「Pienene」はタンポポという意味。カフェではケーキやクッキーもオーダーできる

ブラック・バルサムは、40ml入りの小瓶もある

フェルトのルームシューズがキュート！

長く愛用できそうなリネンやフェルト製品が満載！

94

バラエティ豊かなアイテムの中から
お気に入りを見つける

Lini un suveniri

リニ・ウン・スベニリ

住	Mazā Pils iela 4, Riga
☎	6722-0146
営	10:00〜18:00(11〜3月11:00〜)
休	火曜
MAP	P88

聖ヤコブ教会の隣にあるギフトショップ。ミトンやリネンのバッグ、フェルトのブローチなど、種類豊富なアイテムが揃う。店の奥には子ども用の製品も。マグネットやキーホルダーなど、土産の定番も置いている。

子ども向けの商品も揃うギフトショップ

多彩なアイテムが店内を埋め尽くす

使い勝手のよいリネン製スカーフ

足首まで温めてくれるルームシューズ

お土産選びが楽しい！

ミトンやソックスなどニット製品も充実

温かみが感じられるフェルト製のアクセサリー

95　ラトビア　ショップでカワイイをゲットする！

3人のシェフがつくる
絶品キュイジーヌ

3Pavāru Restorāns

トリース・パヴァール・レストラーンス

住）Torņa iela 4, Jēkaba Kazarmas 2B, Rīga
☎）2037-0537
営）12:00～23:00
休）なし
MAP）P88
HP）http://tamlabambusaugt.lv

おいしい
旅カフェ×
旅ごはん

ラトビアを旅して出合ったおいしい料理とスイーツ。昔から食べ継がれてきたものや、モダンなメニューも！私のお気に入りレストラン＆カフェをご案内。

ラトビアの食材を使ったモダンな料理が楽しめるレストラン。卓越した技をもつ3人のシェフが中心となって腕をふるう。料理教室やケータリングほか、液体窒素やドライアイスを使った料理に挑戦するワークショップを行うなど、精力的に活動している。

紙を敷いて何が始まるのかと思ったら……

カウンター席からは、料理を盛りつける様子が見える

前菜の出来上がり！シーバックソーン、ストロベリー、ブラックカラントのカラフルなソースとハーブオイル、パンプキンシードをパンにつけていただく

気さくなスタッフがお出迎え

メインはバターでソテーしたアンコウをチョイス。ビーツの鮮やかなピューレとキヌアやブルグァがベストマッチ

96

素朴で味わい深い
ラトビアの郷土料理
Krodziņš Province
クローズィニシュ・プロヴィンツェ

- 住) Kaļķu iela 2, Riga
- ☎) 6722-2566
- 営) 12:00〜23:00
- 休) なし
- MAP) P88
- HP) http://www.provincija.lv

2000年にオープンしたパブ。お得なラトビア料理のテイスティングメニューは、ズィルニと呼ばれるゆでた黒豆やスモークベーコン入り豆のクリームスープなど5品。ほんのり塩味の効いたバターミルクもお試しあれ。飲むヨーグルトのような爽やかな味わい。

ワインやビール、ウィスキーも充実のパブ

ビーフストロガノフもテイスティングメニューの一つ

デザートのブレッドスープ。ホイップクリームとナッツ＆ドライフルーツを浮かべて

アラカルトメニューも多数

メルヘンティックな建物が魅力
洗練されたヨーロピアン料理の店
1221
ヴィエンス・ディヴィ・ディヴィ・ヴィエンス

- 住) Jauniela 16, Riga
- ☎) 6722-0171
- 営) 12:00〜23:00
- 休) なし
- MAP) P88
- HP) http://www.1221.lv

温かな雰囲気の中で、ヨーロピアン料理を満喫。トナカイ肉の入ったピスタチオのスープやビーバーのスモーク肉などメニューが多彩。以前、スイス料理の店だったことから、店内には牛の置物やカウベルが飾られている。

建物が1221年に建てられたことから店名に

オーダーしたのはサバフライ。つけあわせは、リンゴのソーダ煮

シェフのロバーツ・スミルガ氏

ラトビア料理も用意している

イェーカバ広場の目の前にあるカフェ

動物や天使の形をしたチョコレートもある

店内には昔のスイーツ工場の作業風景写真が飾られている

レトロな雰囲気が落ち着く

トリュフチョコレートが20種類
ほっこりできるショコラカフェ

V. Ķuze Café
ヴェー・チュゼ・カフェ

住) Jēkaba iela 20/22, Rīga
電) 6732-2943
営) 10:00〜21:00
休) なし
MAP) P88
HP) http://www.kuze.lv

店名は、1910年から30年間、ラトビアでスイーツ工場を経営していた人物にちなんでつけられた。自慢のトリュフチョコレートは約20種類。店の奥で手づくりしている。カフェでは、チョコレートはもちろん、アップルケーキやナポレオンケーキなどもオーダーできる。

オレンジ色のパッションフルーツやダークチョコレートなど種類豊富

コンデンスミルククッキーとトリュフチョコレートをオーダー

人気のベーカリーカフェで
コーヒータイム

Kūkotava
クーコタヴァ

- 住) Tērbatas iela 10/12, Rīga
- ☎) 6728-3808
- 営) 8:00〜20:00(土・日曜10:00〜18:00)
- 休) なし
- MAP) P87
- HP) http://www.kukotava.lv

ケーキやペストリーなど、スイーツが充実のベーカリーカフェ。ホウレン草のロールパンやチキン＆チーズパイといった食事系のパンもオススメ。材料を量る人、生地をこねる人など、オープンキッチンで生き生きと働く人たちをカウンター越しに見ることができる。

地元の人から愛されているベーカリーカフェ

のんびりくつろげる空間

ペストリーも品揃え豊富

ベリーがふんだんにのったケーキが人気

楽しそうに作業をこなしているスタッフたち

カッテージチーズクリームが入ったシュークリームみたいな「オールド・リガ」とハニーケーキ。コーヒーはビン入りの温かいミルク付き

ラトビア ❋ おいしい旅カフェ×旅ごはん

女子心をくすぐる
パステルカラーのスイーツ

arbOOz
アルブーズ

歩き疲れたらここで一休み

住）Dzirnavu iela 34A, Rīga
☎）2653-0164
営）10:00～19:00（土曜11:00～18:00）
休）日曜
MAP）P87
HP）http://www.arbooz.lv

クリームがたっぷりのったカップケーキとレモンやチェリー、ピスタチオなどカラフルなマカロンがガラスケースに並ぶ。見ためにもかわいいスイーツをいただきながら、コーヒータイムを満喫。こぢんまりとした店内は、いつも女性客でにぎわっている。

パステルカラーがきれい！全種類試したくなる

カップケーキも魅力的

仲良し4人組の女子たちもカップケーキをペロリ

スイーツの写真をペタペタと貼って、店内をおしゃれに演出

チョコレート・マンゴー・パッションフルーツのカップケーキとチェリーのマカロン

こぢんまりとしたかわいいスイーツカフェ

100

運河沿いに佇む
ティーハウス

Tējas namiņš Apsara Kr. Barona iela

ティエス・ナミンチ・アプサラ：クリシャーニャ・バローナ・イエラ

- 住 Kr. Barona iela 2a, Riga
- ☎ 6722-7710
- 営 11:00〜22:00（土・日曜12:00〜）
- 休 なし
- MAP P88
- HP http://www.apsara.lv

ピルセータス運河沿いに建つ六角屋根のティーハウス。紅茶やハーブティー、フルーツティーなど、バラエティに富んだお茶が楽しめる。チーズケーキやハニーケーキ、クッキーなどのスイーツも。2階のクション席は、リラックスしすぎて一日中過ごしてしまいそう。ヴェールマネス庭園には姉妹店もある。

木々に囲まれた庭園の中に建つティーハウス

1階はオリエンタルな雰囲気

80種類以上ある茶葉の中からお好みをチョイス

2階は円を描くようにクッションを配し、360度外の景色が眺められる

チョコレートケーキとラトビアン・ハーバルティーで憩いのひととき

ポットウォーマーも販売している

ラトビア ❋ おいしい旅カフェ×旅ごはん

ローカル満喫!
マーケットでお買いもの

リガには、地元の人だけでなく観光客も訪れる巨大なマーケットがある。屋内と屋外、ナイトマーケットなども含めると、一日に8〜10万人の客が訪れるという。リガに暮らす人たちが、普段どんなものを食べているか見てみよう!

かまぼこ型の建物でラトビアの食を知る
Centrāltirgus
中央市場

- 住) Nēģu iela 7, Rīga
- ☎) 6722-9985
- 営) 7:00〜18:00（店舗により異なる）
- 休) なし
- MAP) P87、P88
- HP) http://www.rct.lv

1930年にオープンした中央市場は5つの建物があり、それぞれ肉、乳製品、食料雑貨、野菜、魚に分け営業している。かまぼこ型のこの建物は、ツェッペリン飛行船の格納庫を移築したもので、オープン当初はヨーロッパーを誇る規模とモダンな設備をもつマーケットとして話題になった。屋外にも野菜やフルーツ、花、ニット製品などを売る店が軒を連ね、にぎわいを見せている。

ハニーケーキには、ハチの巣のデコレーション

イチゴやチェリーの赤が鮮やか

ビン詰めのアンズタケも！

ダウガヴァ川のすぐ近くにある、かまぼこ型の建物が目印

ラトビア人は花好きで、特別な日でなくても花を贈る習慣があるそう

102

屋内のマーケットへ移動！

屋外のオープンエアマーケットにも、新鮮な野菜やフルーツが並んでいる

ハチミツはラトビアの名産品。蜜蝋キャンドルも販売している

ドライフルーツやスパイスの種類が豊富

ハムやチーズも勢揃い

黒パンはラトビア人の国民食

タラやサーモン、ヤツメウナギなど、多くの鮮魚が並ぶ

バケツに入れてディスプレイ

ニシンのパック詰めも販売

103　ラトビア ✹ ローカル満喫！マーケットでお買いもの

column
ユーゲントシュティール建築

　リガ市内には、19世紀末から20世紀初頭にかけて建てられたユーゲントシュティール様式の建物が点在している。ユーゲントシュティールとは、アールヌーヴォーを意味し、動植物や人面などのモチーフが散りばめられているのが特徴。やわらかな曲線をとりいれた壮麗な建物は、デコラティブな美しさを備え、通りゆく人々の目を楽しませてくれる。

　なかでも、新市街のアルベルタ通りを中心とした、エリザベテス通り、ストレールニエク通りを含むエリアは、ユーゲントシュティール建築が集結。これらの建物は、現在、アパートや学校などに利用されている。なかには博物館になっている建物もあり、ユーゲントシュティールの内装やアールヌーヴォー様式の家具などを見ることができる。この周辺は、建築技師ミハイル・エイゼンシュタインが設計した建築物が多く残るエリアでもあり、見どころが満載。彼は、『戦艦ポチョムキン』などで知られる映画監督セルゲイ・エイゼンシュタインの父でもある。

Elizabetes Street 10b／1903年……トップ部分には、人面やクジャクの姿が。ブルーのセラミックタイルに覆われたこの建物は2000年に修復された

入口の上部を飾るフクロウ像

Elizabetes Street 33／1901年……エイゼンシュタインによる設計で、アールヌーヴォーの装飾を用いた初めての試み。ルネッサンスやバロックなど多くの歴史的建築様式の要素を採り入れている

いたるところに人面やライオンの頭部が見られる

必死に建物を支えているようにも見える

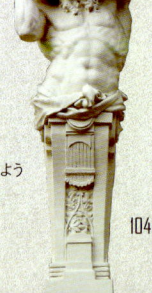

104

Strēlnieku Street 41／1905年……私立学校の寮として利用された建物。1993〜1994には、学校のための修復工事が行われた

神秘的なファサードの女神像

凛とした表情が美しい

Alberta Street 4／1904年……建物の上部には3人のメドゥーサと、安全と保護のシンボルであるライオンの姿を見ることができる

Alberta Street 2a／1906年……入口の両脇にスフィンクスが鎮座するエジプトをモチーフにした建物。スフィンクスは太陽とセキュリティーのシンボルとされている。ファサードの赤いタイルがアクセント

翼をもつライオン像が入口で構えている

手に松明をもつ女性像

ラトビア野外民俗博物館

建物の前で藁細工を売る女性。ディスプレイがかわいい！

古きよきものとの出合い

リガの中心地から車で約30分のユグラ湖畔に、1924年にオープンした野外民俗博物館。約87ヘクタールの園内には、クルゼメ、ヴィゼメ、ゼムガレ、ラトガレの4つの地方から集められた、17世紀から1940年代までの118の建物と3000点以上の生活道具が展示されている。

農家や漁師の家、牛舎、穀物倉庫、納屋、風呂小屋まであって、昔の暮らしに想像が膨らむ。

古い建物の前では手工芸品やラトビア名産のハチミツを売る人たちもいて、買いものを楽しみながら園内を散策できる。藁細工やニット製品、カゴなどがセンスよくディスプレイされ、つい足が向いてしまう。毎年、6月最初の週末には民芸市が開催され、さらに多くの手工芸品が並ぶのだそう。全国から集まる手工芸家や職人たちが自らの作品を販売し、大盛況なのだとか。

106

手づくりのクリスマス用オーナメント。クリスマスだけでなく、一年中、部屋に飾っておきたい

中に豆が入っていて、振ると「カシャカシャ」と音が鳴る。この音で邪悪な霊を追い払うそうだ

手編みのカゴが勢揃い

ヘビメタの音楽をガンガン鳴らしながらカゴづくりに精を出す職人

Latvijas Etnogrāfiskais Brīvdabas Muzejs
ラトビア野外民俗博物館

- 住　Brīvdabas iela 21, Rīga
- ☎　6799-4106
- 営　夏期(5/1〜9/30)10:00〜20:00 ※建物見学は〜17:00
  冬期(10/1〜4/30)10:00〜17:00
- 休　なし
- 料　夏期4ユーロ、冬期2ユーロ
- 交　リガ駅前のメルチェリャ通りから1番バスに乗って約30分、「Brīvdabas Muzejs」で下車
- MAP　P6、P87
- HP　http://www.brivdabasmuzejs.lv

編み物をしながら、自身が編んだニット製品を販売していた

チョコレートを入れたり、試行錯誤しておいしいハチミツを考案

蜜蝋キャンドルも手づくり

BAZNĪCA
教会

毎週日曜日に礼拝を行っている

1704～1705年に建てられた、クルゼメ地方のルーテル教会

KAPELA
チャペル

天井には星が描かれメルヘンティック

ラトガレ地方で、1815年に建てられたチャペル

DZĪVOJAMĀ MĀJU
リビングハウス

1880年代に建てられたクルゼメ地方の漁師の家

若夫婦のための部屋。天井からプズリを吊るして華やかに

花嫁が嫁ぐときに持参した衣装箱には、1907年とある

おばあちゃんのベッドが置かれた部屋からは、左にある小窓のついたキッチンと、外の様子が見張れるようになっている

園内でスケッチをする人もいて、のどかな光景が広がる

19世紀頃のハチの巣箱

樹齢370年の松の木を
利用したハチの巣箱

ユグラ湖には白鳥の姿も

19世紀前半のウォーターポンプ小屋。これで人々に水を供給していた

休憩スペースには、お菓子やドリンクを売る店も。外の空気を吸いながら、コーヒーを一杯飲んで野外民俗博物館を後にした

109　ラトビア ❋ ラトビア野外民俗博物館

にぎやかに祝う冬至祭

「ケカタス」の始まり、始まり！

冬至祭で厄払い

ラトビアでは一年で最も日が短い冬至の日に、冬至祭を開催する。「ラトビア野外民俗博物館で冬至祭をやっているよ」という情報を得て、早速、行ってみることにした。到着すると、祭りの参加者がメイクをしたり、動物の被りものをしたりして、まだ準備中だった。ケカタスと呼ばれる仮装行列が始まったのは、ちょうど正午。一年の厄を集めるために丸太にロープをくくりつけ引きずりながら歩くという、ちょっと風変わりな行列。ラッパや太鼓、鍋蓋のシンバルなど、大きな音を鳴らして邪悪な霊を追い払いながら進む。広場に到着すると、輪になって踊ったり、ゲームをしたりして、また次の目的地へ。途中、露店などをのぞきながら、最終目的地に着くと、丸太は燃やされ、その周りで皆、踊り出した。丸太を燃やすことで厄を払い、幸福を呼び込むのだ。

110

Latvijas Etnogrāfiskais Brīvdabas Muzejs
ラトビア野外民俗博物館

丸太にロープをくくりつけるクマさん

皆で丸太を引いて行進する

ビーツやクランベリー、炭を使ってメイク中

こんな被りものをするのも邪悪な霊から身を守るため

死神も参加。一緒に踊ると来年、死ぬことはないという

ネコメイクがかわいい！

途中、広場で踊ったりゲームをしたりする

準備ができたようだ

仮装をしている人も、していない人も共に楽しむ

行進の前にまずは一踊り

ラトビア にぎやかに祝う冬至祭

最終目的地に向かってまた行進

厄がたくさんついた丸太をいよいよ燃やす

露店も見て回った。こちらは、ノミを使ってスプーンを作製中

ステンドグラスやミトン、革製品なども販売していた

キツネのマスクをつけた子が、ずっと火の番をしていた

アルコールとプロポリス入りのハチミツを試食

火を囲みながらの歌と踊りは、夕方4時くらいまで続いた

手前のオレンジ色のお菓子は、「スクランドラウシス」というニンジンタルト

112

ブラックヘッド会館をバックに演奏が始まる

Rātslaukums
市庁舎広場

古布に目と口の部分だけ穴を開けたマスク。皆、それぞれ工夫をこらしている

旧市街に戻り、たまたま市庁舎広場を通りかかったところ、ここでも冬至祭を開催していた

やはり火を焚いている。近づきすぎると火の粉が飛んでくるので要注意

輪になって皆、踊り出した！

祭りの間中、飾られていた藁のオーナメント

よく見ると、さっき野外民俗博物館で演奏していた人たち。あれから移動して、ここでも活躍している！きょうは二度も冬至祭に参加できてラッキーだった

113　ラトビア ❋ にぎやかに祝う冬至祭

リガのクリスマス・マーケット

お菓子の家がメルヘンティック！

メルヘンの世界へようこそ

リガ滞在中に訪れたクリスマス・マーケットは、ドーム広場、リーヴ広場、エスプラナーデ公園の3カ所。それぞれ工夫が凝らされていた。

リガ大聖堂に隣接するドーム広場では、ネコやヒツジ、ウサギにも会えて、動物好きにはたまらない。サンタクロースの家ではサンタさんとおしゃべりを楽しみ、小さな郵便屋さんでは、家族宛てにカードを書く人の姿も。

リーヴ広場に行ってみると、ツリーに飾られているランプにちょうど火を灯しているところだった。何しろ背丈があるのでクレーン車を使っての作業。ツリーの周りでは、青と白のストライプの露店が並び、にぎわいを見せている。

エスプラナーデ公園で印象的だったのは、ウサギたちが自由に飛び跳ねるウサギの王国。城壁に囲まれた小さな家々は、夜になると明かりが灯り、そこにはメルヘンの世界が広がっていた。

114

Doma Laukums
ドーム広場

樽の形がかわいい木工製品を売る店。ナチュラルな形状を生かしたスプーンがたくさん揃っている

鍋の中にはザワークラウトとホットワイン。体が温まる

クリスマスクッキーは、おばあちゃんの手づくり

ネコが見たくてネコハウスをのぞく子どもたち。中にはピアノやティーセットも！

光輝くアーチを抜けると、そこはドーム広場のクリスマス・マーケット

クリスマスの定番、ポテトとソーセージ、ザワークラウトほか、甘いペストリーも販売

ニット製品が並ぶ露店では、犬の毛で編んだミトンが売られていた。見た目はアンゴラのよう

曲がったスプーンも、味があっていい

お土産に買いたくなる、ニット帽のマグネット

ここでクリスマスカードや切手を販売。その場で書いて郵送できる

サンタクロースの家には、大人1人では入りづらかったので、子ども連れの家族と一緒に入らせてもらった

記念切手のセットを購入

回転木馬のウサギがいい表情をしている

サンタさんとツーショット

ロバに乗ってマーケットのまわりを一周できる（有料）。ただし子どもだけ

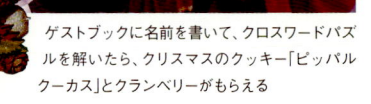

ゲストブックに名前を書いて、クロスワードパズルを解いたら、クリスマスのクッキー「ピパルクーカス」とクランベリーがもらえる

クリスマスリースのデコレーションがかわいい

116

Līvu Laukums
リーヴ広場

木製のモダンなクリスマスツリー

日が落ち始めると、ツリーのランプに火を灯す

ストライプの小屋がおしゃれ

キャンドル専門店では、様々なタイプのキャンドルが揃う。ツリーのキャンドルは白と緑の2種類

ツリーに飾るオーナメントがたくさん！

ニットのベビー用ソックスやレースの小物が充実

キャンディをくれたサンタさん。それと同時に差しだされたのが寄付金袋

ハートの縁どりがキュートなニットのマント

117　ラトビア ❄ リガのクリスマス・マーケット

Esplanāde
エスプラナーデ公園

回転木馬やミニトレイン、ウサギの王国もあって、子どもからも人気のクリスマス・マーケット

エサをムシャムシャ
おいしそう

ウサギを見ていると心が和む

ウサギの王国の城壁の中では、たくさんのウサギがピョンピョン跳ねたり、ミニハウスに隠れて眠ったりしている

エサのキャベツをサンタさんが配っていた

居心地のいい場所を見つけたようだ

118

フォックスの毛皮の帽子がゴージャス

露店を一軒一軒、見てまわるのも楽しい

ナッツやベリー入りのチョコレートが揃っている

針を投げて風船が割れたら商品がもらえる

琥珀のアクセサリーも多彩

セラミックのオーナメントを買い求める人も

クリスマス・マーケットで必ず見かける
メッセージ入りのクッキー

ミニトレインに乗って楽しそう

アンナさんちのクリスマス

クリスマス・クッキー「ピッパルクーカス」をつくるアンナさん

クリスマスがやってくる

クリスマス・イヴまであと数日という日に、カゴ職人ピーターさんの長女アンナさんが、クリスマス・クッキーを焼くというので自宅を訪ねた。

家族で祝うのはイヴの日ということだが、母親のロリータさんがあらかじめ、パラキア・ズィルニという豆料理や、ベゼーというメレンゲのお菓子を用意してくれていた。当日は、ほかにもオーブンで焼いたポークやソーセージ、ザワークラウト、鯉料理なども食べるそう。ラッソースというポテトサラダもクリスマスの定番。

早速、アンナさんがクッキーづくりの準備に入る。生地をこね、ハートや星の形にくり抜きオーブンで焼いていく。するとロリータさんが「昔は、皆で歌いながらクリスマスの料理をつくったものよ」と、懐かしそうに話す。そうこう言っているうちにクッキーが焼き上がったようだ。こうして今年もまた、クリスマスがやってくる。

120

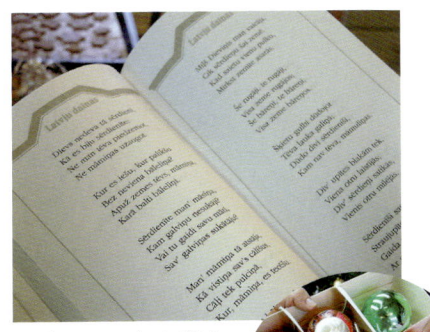

ラトビアン・フォークソングの本。人生や家族、愛についてなど、4行で綴られている。昔はクリスマスだけでなく、人が集まると歌う習慣があったそうだ

ロリータさんが嫁いだときに持参したツリーのオーナメント

仕事の合間にパラキア・ズィルニを食べるピーターさん。左がロリータさん、右が工房で働くアラさん。この料理は12月31日までに食べ終わらないと不運に見舞われるという言い伝えがある。手前にあるのは、田舎で飼っているダチョウが産んだ卵

ツリー用のクッキーは焼く前にストローで穴を開け、焼き上がったらロリータさんがヒモを通していく

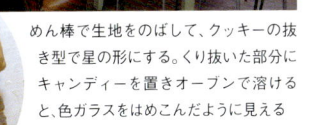

めん棒で生地をのばして、クッキーの抜き型で星の形にする。くり抜いた部分にキャンディーを置きオーブンで溶けると、色ガラスをはめこんだように見える

クッキーでデコレーションをする。このあと花火やろうそくも飾って、華やかなツリーに仕上がった。これでクリスマスの準備万端！

オーブンでじっくり焼く

ピッパルクーカスの出来上がり

手しごとを愛する人たち

ケーキ専用のカゴ

ヤナギの枝を切り揃えているところ

ハンドメイドのカゴやミトン、室内を華やかに装飾するブズリ。暮らしの中に一つとりいれるだけで、豊かな気持ちになってくる。そんなラトビアの手工芸品を育んできた名人たちに会いに行ってきた。

親方が編む温かみのあるカゴ

リガの中心地からバスに揺られて約30分、閑静な住宅街に建つカゴ製品の工房「ピヌム・パサウレ」に到着。迎えてくれたのは、親方のピーターさんと奥様のロリータさん。建物の奥に入っていくと、たくさんのカゴがバランスを崩すことなく山積みされている。

作業場では、熟練の職人が手際よくトレイを編んでいるところだった。ピーターさんも早速、カゴづくりに取りかかる。まずは、ボトム部分から。ヤナギの枝を切り揃え、形を整えながら編んでいく。途中、手を休め材料を保管している小屋

122

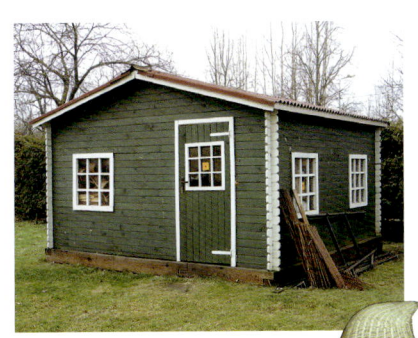

誰か住んでいるのかと思ったら、カゴを保管している小屋だった

バラエティに富んだカゴの数々。ランプシェードや小物入れ、イスなども製作している

特別注文の6歳の女児用ベッド。ピーターさんが手がけた中で一番の大きさ。製作に1カ月かかったそうだ

編みはじめはボトム部分から

ピーターさんが2時間で完成させたカゴ

ヤナギの枝を保管している小屋にピーターさんが案内してくれた。材料だけを購入する人もいるとか

工房で働いて8年になるアーリアさん。トレイは、重石をのせて編んでいく

Pinumu Pasaule
ピヌム・パサウレ

住) Tēriņu iela 52, Rīga
☎) 6761-2221
営) 9:00〜19:00
休) なし
MAP) P87
HP) http://www.pinumupasaule.lv

へも案内してくれた。材料のヤナギは毎年、植え付けから刈り入れまで、自分たちで行っているそうだ。刈り入れ後は、枝を選り分け束にしてグツグツ煮込み、皮をピーリングしていく。材料の準備にも抜かりがない。再び、カゴづくりに戻ると、なんと2時間で完成。このカゴは、ワークショップで手づくり体験ができる。素人が編むと8時間かかるそうだが、時間に余裕がある人は、トライしてみるのもいいかもしれない。

123　ラトビア ✸ 手しごとを愛する人たち

見よう見まねでつくる参加者たち

マーラおばあちゃんのプズリの講習会が始まった！

なかなかうまく巻けている

葦や麦藁を糸でしばって立体的に仕上げていく

糸の巻き方の手本を見せてくれるマーラおばあちゃん

マーラおばあちゃんのプズリ

冬至祭当日にラトビア野外民俗博物館で行われていた「プズリ」の講習会。マーラおばあちゃんが、つくり方を伝授していた。プズリはラトビアの伝統的な部屋の装飾で、冬至の日やクリスマスに天井から吊るして飾る習慣がある。

部屋を華やかにするだけでなく、プズリが回転することでネガティブなエネルギーを吸収してくれる。昔は、赤ちゃんを悪霊から守るために、ゆりかごの上にプズリを吊るしたそうだ

124

ミトンには、太陽神や馬屋神、井桁などラトビアの伝統文様が編みこまれているものが多い。家族の幸せや厄除けなど、願いがこめられているそうだ

編み物名人のラウラさん(左)とライムドゥワさん(右)

12歳から編みはじめたというライムドゥワさんの手編みのミトン。1組編むのに約1週間かかる

かつて、花嫁、花婿が結納に贈り合ったという白地に模様の入った手袋

人々の暮らしの中にあるミトン

花や木の葉、ラトビアの伝統文様など多彩なデザインが魅力のミトン。編み物名人のラウラさんとライムドゥワさんに、話を伺った。

「ミトンは昔から仕事や祭りのときにも使われ、贈り物としても利用されてきたのよ」と話すラウラさん。少女の頃から少しずつ編み始め、たくさんのミトンを衣装箱に詰めて嫁入りした時代もあったという。ほとんどが花婿の家族や親戚に贈られ、いくつかは家の中や牛小屋に飾ったそうだ。

現在と違って、毛糸を植物で染めつけていたため、色落ちしやすかったという。そのため色止めとして、キュウリの汁や牛の尿を利用していたそうだ。編み方も今は5本の針を使うが、15世紀くらいまでは一本の針で編んでいた。デザインも植物など自然のものを描写することが多かったようだ。

ラトビアのお土産

ラトビアの伝統模様が入った小物やアクセサリー、ニット製品が多く揃うリガの雑貨店。洗練されたデザインに思わずうっとり。

味わい深い木製スプーン

藁細工を振ると、中に入っている豆の音で邪悪な霊が逃げていく

ラトビアの国旗を思わせるリボンが付いたブローチ

フェルトのブローチでおしゃれに演出

琥珀が入ったマグネット

外出が楽しくなる刺繍入りのバッグ

月のシンボルを施したフレンドシップ・ブレスレット

ラトビア野外民俗博物館で販売していたクリスマス用のオーナメント

ミニサイズのミトンとソックスは、見ているだけでほっこりしてくる

民族衣装のアクセサリー「サクタ」は、普段の装いにも利用したい

リネン製のスカーフは、シンプルに首に巻くだけでおしゃれ

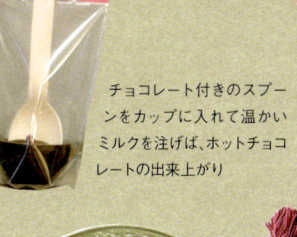

手編みのルームシューズを履けば、足がポカポカ

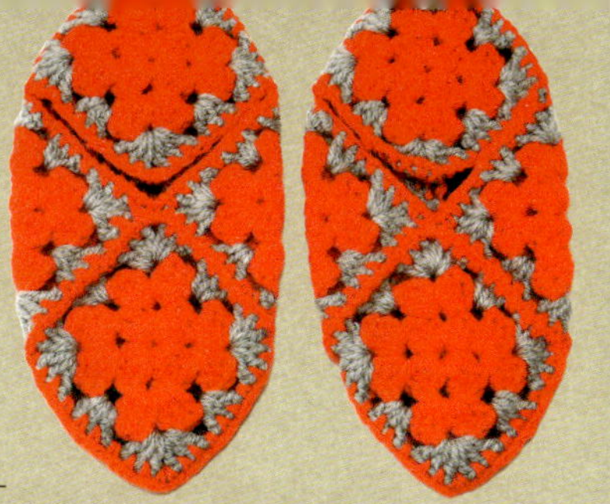

チョコレート付きのスプーンをカップに入れて温かいミルクを注げば、ホットチョコレートの出来上がり

帽子とマフラーが一つになっている！

ラトビア名産のハチミツは種類豊富

アクセントの模様がおしゃれなキャップ

花柄や伝統模様など、デザインが多彩なミトン。季節を問わず、通年販売されている

ビーズで伝統模様をあしらったブレスレット

伝統模様が型押しされたレザー・ブレスレット

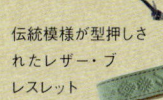

木板に糸を通してつくる刺繍人形

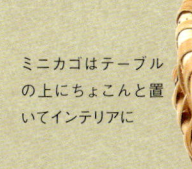

リガの中央市場で購入したソックス

ミニカゴはテーブルの上にちょこんと置いてインテリアに

127　ラトビア ✤ ラトビアのお土産

リガのホテル

ユーゲントシュティール建築のエレガントなホテルやスパ施設が充実したホテル。リラックスしながら、優雅にリガの滞在を楽しもう。

NEIBURGS
ネイブルグス ★★★★

ユーゲントシュティール建築の優雅なアパートメントホテル。広さ23〜62㎡の客室が55室。ミニキッチン付きで、暮らすように滞在できる。

- 住) Jauniela 25/27, Rīga
- ☎) 6711-5522
- MAP) P88
- HP) http://www.neiburgs.com

Grand Palace Hotel
グランド・パレス・ホテル ★★★★★

1877年にラトビアの中央銀行として建築され、2000年にはホテルとしてオープン。56の客室は、洗練されたカラーバランスの内装が印象的。

- 住) Pils iela 12, Rīga
- ☎) 6704-4000
- MAP) P88
- HP) http://grandpaceriga.com

Wellton Centrum Hotel & Spa
ウェルトン・ツェントラム・ホテル&スパ ★★★★

1873年建築の建物を改装し2013年にホテルとしてオープン。モダンな144の客室とスパ施設を備える。

- 住) Kalēju iela 33, Rīga
- ☎) 6713-0674
- MAP) P88
- HP) http://wellton.com

OPERA HOTEL & SPA
オペラ・ホテル&スパ ★★★★

リガ駅やオペラ座からも近い、ユーゲントシュティール建築のホテル。トルコ式ハマムやアラビア式トリートメントなどスパ施設も充実。

- 住) Raiņa bulvāris 33, Rīga
- ☎) 6706-3400
- MAP) P88
- HP) http://www.operahotel.lv

LIETUVA
リトアニア

城壁に残る「夜明けの門」の上の礼拝堂には、奇跡を起こすと信じられている聖母マリアのイコンがある

リトアニアはどんな国？

バルト三国の中で最も南に位置するリトアニアは、大小4000の湖と森林が広がる自然に恵まれた国。カトリック信者が多く、北部シャウレイにはリトアニア最大の巡礼地「十字架の丘」がある。第二次世界大戦中、外交官だった杉原千畝がユダヤ人を救うため日本の通過ビザを発給したのもこの国でのことだった。

かつてリトアニアは、バルト海から黒海まで領域を伸ばし、ヨーロッパ最大の領土を誇る大国だったが、18世紀末にはロシア領となる。19世紀に入るとロシア化政策が強化され、カトリックとリトアニア語が禁止になるなど、苦難を強いられてきた。1918年に独立を宣言するが、1920年代には首都ヴィリニュスを含む東部がポーランド領に。その後、ソ連軍、ドイツ軍の侵略を受け、1944年には再びソ連に占領される。ようやく独立を果たしたのは1991年のこと。2004年にはEUに加盟。人々は自由を取り戻し、現在は平和な暮らしを手に入れている。

地元の人や観光客でにぎわうピリエス通り

3つの十字架の丘から王宮とゲディミナス塔を望む

ヴィリニュスマップ

- 国立美術館 Nacionalinė Dailės Galerija
- 杉原千畝の碑
- 桜公園
- ネリス川 Neris
- コンスティトゥーツィオス大通り Konstitucijos pr.
- 聖ペテロ&パウロ教会 Šv.Petro ir Povilo Bažnyčia(P133)
- 国会議事堂 Seimas
- KGB博物館 Genocido Aukų Muziejus
- 国立オペラ・バレエ劇場
- ケディミナス塔 Gedimino Bokštas 博物館 Muziejus
- ケディミノ大通り Gedimino pr.
- ケディミナス城 Gedimino Pilis
- 3つの十字架の丘 Trijų Kryžių Kalnas
- 旧市街
- クディルカス通り V.Kudirkos
- カルナイ公園 Kalnų Park
- 鐘楼 Varpinė
- 大聖堂 Arkikatedra Bazilika
- ヴィリニャ川 Vilnia
- ヴィンギオ公園、野外ステージへ
- チュルリョーニオ通り M.K. Čiurlionio
- ピリエス通り Pilies
- ヴィリニュス大学 Vilniaus Universitetas
- 聖アンナ教会 Šv.Onos Bažnyčia
- 王宮 Lietuvos Didžiosios Kunigaikštystės valdovų rūmai
- 日本大使館
- シュヴィトゥリガイロス通り Švitrigailos
- ウジュピス Užupis
- 新市街
- トラク通り Trakų
- ヴォキエチュウ通り Vokiečių
- 旧市庁舎 Rotušė 観光案内所
- マイロニオ通り Maironio
- ナウガルドゥコ通り Naugarduko
- ピーリモ通り Pylimo
- 夜明けの門 Aušros Vartai
- バスターミナル Autobusų Stotis
- ヴィリニュス駅 Vilniaus Geležinkelio Stotis
- ヴィリニュス国際空港へ

通りでは楽器を演奏したり、絵画を売る人も

芸術家が多く住むウジュピス地区

131　リトアニア　リトアニアはどんな国?

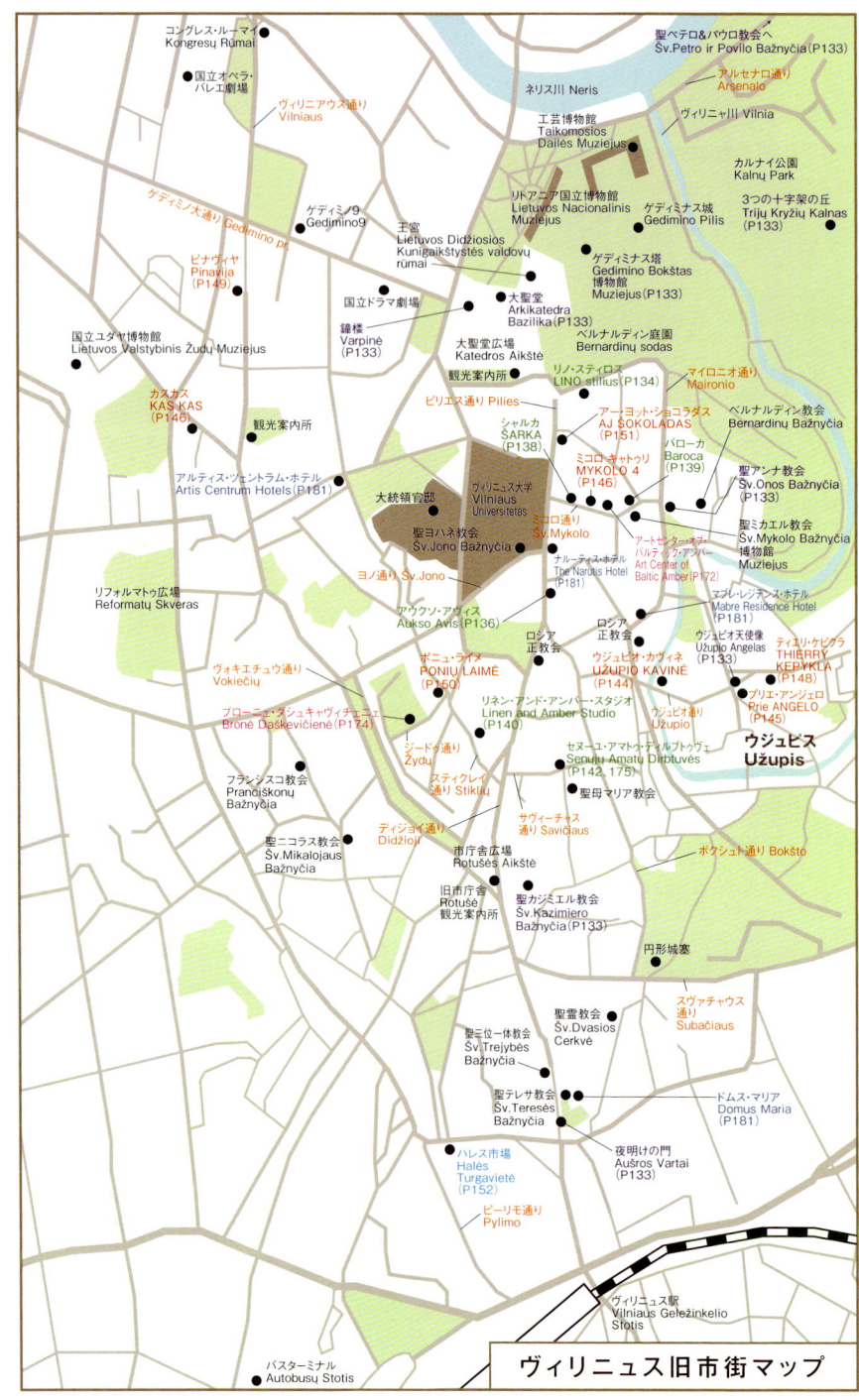

ヴィリニュス旧市街マップ

ヴィリニュス観光スポット

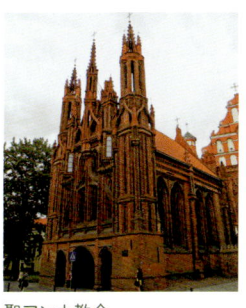

3つの十字架の丘
この地に布教に訪れたフランシスコ修道会の修道士14人が異教徒に迫害され殉教するが、彼らを追悼するため1613年に木製の十字架が立てられた。現在の十字架は1989年に再建されたもの。

聖ペテロ&パウロ教会
17世紀後半に建立された教会は、その後30年もの月日をかけ内装を完成させた。聖書や神話などをテーマにした2000以上の漆喰彫刻は圧巻。

聖アンナ教会
15世紀末に建立されたフランボワイアン・ゴシック様式の教会は、33種類の煉瓦が使用されている。1812年にこの教会を見たナポレオンは「手の平にのせてパリに持ち帰りたい」と語ったという。

聖カジミエル教会
17世紀にイエズス会が、リトアニアの守護聖人カジミエルを祭るために建てた教会。支配者が変わる度に、異教の教会として使われてきたが、1991年に復活。

ウジュピオ天使像
正式な国ではないが、1997年に独立宣言をしたウジュピス共和国に、独立5周年を祝い立てられた。高さ8.5mのコラムの上に立つ。

夜明けの門
城壁が存在していた頃、城門が9つあったが、現在はこの門だけが残る。上の礼拝堂には、奇跡を起こすとされる聖母マリアのイコンがある。

大聖堂/鐘楼
13世紀にキリスト教を受け入れ、雷神ペルクーナス神殿跡地に建立するが破壊される。14世紀に再建築、18世紀には現在の姿に。手前の鐘楼は高さ53m、上まで上ることができる。

ゲディミナス塔/博物館
14世紀にゲディミナス城が築かれるが、その後、破壊され、現存するのは一部の城壁とゲディミナス塔のみ。塔は博物館と展望台になっている。

オリジナルが揃う
路地裏のリネン・ショップ

LINO stilius
リノ・スティロス

住) Pilies gatvė 6-6, Vilnius
☎) 609-99051
営) 11:00～19:00(11～4月～18:00)
休) 日曜
MAP) P132
HP) http://linostilius.lt

「リトアニアはリネン・ショップが多いので、他店にはないオリジナル製品を置くようにしているのよ」と話すのは、オーナーのクリスティーナさん。日常使いのテーブルクロスやベッドカバーほか、ワンピースやブラウス、スカーフなど、ファッションアイテムも充実。

ショップで**カワイイ**をゲットする!

ヴィリニュスのショップには、洗練されたデザインの雑貨が勢揃い。リネンのスカーフや琥珀のアクセサリー、手織りのリボンなど、リトアニアの人々が大切に守ってきた手工芸品はお土産にもオススメ。手づくりの温かさが伝わり、喜ばれること間違いなし。工房が併設されたショップもあるので、のぞいてみよう。

多彩な色、デザインが揃うリネンウェア

ピリエス通りから少し奥に入ったところにあるリネン・ショップ

友情の証として親友と交換する、フレンドシップ・ブレスレット

134

キッチンや寝室、バスルームでも活躍するリネン製品

ナチュラルな風合いが魅力

色とりどりのリネン・スカーフは、肌触りがよく長く愛用できそう

小さなぬいぐるみも置いている

シンプルで使い勝手のよいキッチンクロス

クリスティーナさんが肩からかけているサッシュは、結婚式に仲人が着けるものだそう

135　リトアニア ❋ ショップでカワイイをゲットする！

Aukso Avis
アウクソ・アヴィス

アクセサリーや小物を
カラー別にディスプレイ

住 Pilies gatvė 38, Vilnius
☎ 526-10421
営 11:00～19:00(日曜～17:00)
休 なし
MAP P132
HP http://www.auksoavis.lt

アクセサリーをメインに陶器の人形や置物なども扱うショップ。150人のデザイナーによるアクセサリーは、カラー別にディスプレイされ、ときめかずにはいられないほどの品揃え。ここでしか出合えない個性的なアイテムは、気に入ったら迷うことなく買って帰りたい。

商品はブルー、イエロー、グリーンなど、カラー別にディスプレイされている

華やかなアクセサリーが揃う

ケシの花がモチーフのネックレス

リングが入っている木製のボックスもかわいい

「金のヒツジ」という名のアクセサリーショップ

お気に入りがきっとみつかる

136

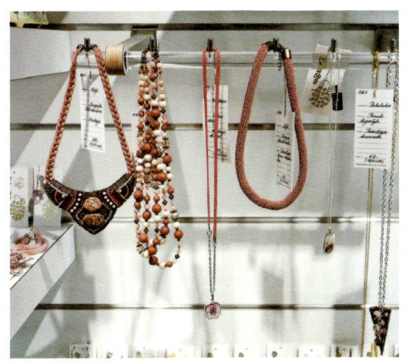

おしゃれ心に火をつけるアクセサリーの数々 　　　　　ピンクのコーナーも充実

愛らしいピアスが目を
引く

カジュアルからゴージャスまで豊富な品揃え 　　　　　個性豊かで存在感のあるネックレスも

ほのぼのとした表情に癒される 　　　　　　　　　　アクセサリーのほかにも、ユニークな置物が並ぶ

ミコロ通り沿いにあるショップ

モダンなファッションと
セカンドハンドがミックス

ŠARKA
シャルカ

住）Šv. Mykolo gatvė 4-15, Vilnius
☎）8687-20163
営）11:00〜19:00
休）日曜
MAP）P132
HP）http://www.sarkashop.lt

デザイナーのユーステ・コンドロテさんが経営するファッション＆セカンドハンドショップ。彼女がデザインした服はもちろん、ヨーロッパから取り寄せた古着や中古品も扱う。陶器の置物や古本まであって、掘り出し物が見つかりそうな予感。ソ連時代に使われていた製品も置いている。

ソ連時代のヘアードライヤーはこんな風に使用する。店番をしていたオーナーの母親が自ら使って見せてくれた

オーナーがデザインした服が並ぶコーナーも

ヨーロッパ中から集められた古着や中古品

おどけた感じがたまらない

古い旅行鞄の中にあったのは、何十年も前の古本

138

ベビー用品も揃っている

肌にやさしいオーガニック石鹸

ユニークなペロペロキャンディ

スプーンをカップに入れてお湯を注げば、カモミールティーの出来上がり

エコロジカルな
自然素材の服や家庭雑貨

Baroca
バローカ

- 住）Šv. Mykolo gatvė 14-1, Vilnius
- ☎）8600-41588
- 営）11:00〜19:00
- 休）なし
- MAP）P132
- HP）http://www.baroca.lt

オーガニック製品をメインに販売する自然派ショップ。化粧品や石鹸、ルームフレグランスほか、ワンピースやベビー服なども揃う。リトアニアで生産、製造しているリネン素材のファッションブランド「MUKU」や、オーガニックコスメブランド「MARMOZEL」も取り扱っている。

聖ミカエル教会の目の前にある自然派ショップ

オーガニック製品が並ぶ店内

暮らしにとり入れたい
上質なリネン製品

Linen and Amber Studio
リネン・アンド・アンバー・スタジオ

住) Stikliu gatvė 3, Vilnius
☎) 526-10213
営) 10:00〜19:00(日曜〜17:00)
休) なし
MAP) P132
HP) http://www.lgstudija.lt

ブルーやピンクなど様々なカラーが揃う

定番のナチュラルカラーもオススメ

コースターもリネン製で！

ベッドカバーやシーツ、テーブルクロスなど、日常使いのリネン製品が揃う店。リトアニアのリネンは、吸水性、速乾性に優れ、丈夫で長持ち。洗うほどに風合いが増し、やわらかな肌触りに。日常のあらゆる場面で活躍してくれるリネン製品をぜひ買って帰りたい。

リネンで手織りされたサッシュやリボンなども販売している

レッドカラーで華やかに演出

140

リトアニアのリネン製品に出合える店

個性的なデザインのナプキンリングも

リネンのナプキンやランチョンマットを使って、
テーブルを美しくコーディネート

141　リトアニア ❀ ショップでカワイイをゲットする！

リトアニアの工芸作家がつくる
洗練されたアイテム

Senųjų Amatų Dirbtuvės

セヌーユ・アマトゥ・ディルブトゥヴェ

- 住) Savičiaus gatvė 10, Vilnius
- ☎) 521-25169
- 営) 11:00〜19:00
- 休) 月曜
- MAP) P132
- HP) http://www.seniejiamatai.lt

白い建物に赤い旗が目印

リトアニアの工芸作家がつくった作品を販売しているショップ。店内には、人形やアクセサリー、陶器・木工製品などが多彩に並ぶ。店の奥では、マイスターが製作に励んでいる様子を見ることも。ステンドグラスやソープづくり、織物など、気軽に参加できるワークショップも開催している。

リトアニアの伝統工芸品をモダンにアレンジしたアイテムが揃う。店の奥は工房になっており、ワークショップなども行っている

リトアニア名産の琥珀のアクセサリー

陶器のベルやオーナメントも

142

これでワインを飲んでみたい

キャンドルやソープなども手づくり

一見、普通の人形に見えるが、ドレスをめくると変身する

花柄が印象的な陶器のソープディッシュ

全身、花柄の女の子

ヤギやヒツジのピンバッジ

かわいい女の子の
ドレスをめくると
……

そして、おばあちゃんに変身！

大人になり、赤ちゃんを産んでお母さんに

143　リトアニア ❁ ショップでカワイイをゲットする！

おいしい 旅カフェ× 旅ごはん

リトアニアで食されてきた伝統料理に舌鼓。思わず笑顔になってしまう、甘いケーキやクッキーも！気軽に入れるレストラン＆カフェにぜひ足を運んでみて！

UŽUPIO KAVINĖ
ウジュピオ・カヴィネ

川沿いのテラス席でくつろぎながら食事を満喫

- 住　Užupio gatvė 2, Vilnius
- ☎　85212-2138
- 営　10:00～23:00
- 休　なし
- MAP　P132
- HP　http://www.uzupiokavine.lt

ヴィリニャ川沿いにあるレストラン＆カフェバー。リトアニアの伝統料理、ジャガイモ団子「ツェペリナイ」やピンクが鮮やかなビーツのスープ「シャルティバルシチェイ」もメニューに。アップルパイやアイスクリームなどのデザートほか、コーヒーやアルコール類も置いている。

ポテトとキノコをすりつぶしてクリーミーに仕上げた「クリーム・ボレタス・スープ」

橋を渡ってウジュピス地域に入るとすぐ左手にある

日差しが暖かな日は、川沿いのテラス席で食事を楽しみたい

ローストポークにクリームソースをかけ、キノコをトッピングした「ベルナルディン・ロースト」

144

ラッパを吹く天使は、ウジュピス地域の象徴

奥の部屋に入って行くと、ガラクタの山があってびっくり

「フライドダンプリング・ウィズ・チーズ」は、リトアニア風ギョウザにチーズソースをかけた料理

天使のかたわらで営む
ヨーロピアン料理の店

Prie ANGELO

プリエ・アンジェロ

- 住 Užupio gatvė 9, Vilnius
- ☎ 655-22334
- 営 9:00～23:00
  （木・金曜～翌2:00、土曜～翌1:00、日曜～23:30）
- 休 なし
- MAP P132

ウジュピオ通り沿いに建つ天使像のすぐ隣にあるレストラン。ステーキやパスタ、オムレツなどヨーロピアン料理が味わえる。クレープやパンケーキなど、リトアニア料理も揃っている。11:30～16:30限定のランチコースは、メインディッシュにスープが付いてリーズナブル。

天使像を正面に見て右に位置するレストラン

壁一面に天使が！

中世の趣を残す店内で
ブルジョワ料理を堪能する

MYKOLO 4

ミコロ キャトゥリ

- 住）Mykolo gatvė 4-1, Vilnius
- ☎）6882-2210
- 営）12:00〜23:00(冬期〜22:30、日曜〜22:00)
- 休）なし
- MAP）P132
- HP）http://www.mykolo4.lt

19世紀ヴィリニュスのブルジョワ料理が味わえるレストラン。住所がそのまま店名になっているのがユニーク。食材は信頼のおける農家から取り寄せ、心のこもった料理を提供。ワインも豊富に揃っているので、食事と一緒に楽しみたい。

熟成牛肉のステーキは、ビンの中に入っているバーベキューソースをかけていただく

落ち着いた雰囲気の店内で、ゆったりと食事ができる

パースニップというセリ科の根菜のアイスクリーム

お酒の種類が豊富
気取らないグルメパブ

KAS KAS

カスカス

- 住）Islandijos gatvė 4, Vilnius
- ☎）630-17121
- 営）11:00〜24:00(木曜〜翌2:00、金曜〜翌5:00、土曜12:00〜翌5:00、日曜12:00〜)
- 休）なし
- MAP）P132
- HP）http://www.kaskas.lt

夜遅くまで利用できるグルメパブ。メニューは、パスタやリゾット、ステーキ、バーガー類など、アルコール類も充実。店名と同じ「Kas Kas」という名のカクテルもある。平日はお得なビジネスランチを用意している。

リトアニアンビーフを使った「ビーフ・テンダーロイン・ステーキ」

バーカウンターもあって、カクテルの種類も豊富

146

ビーツの冷たいスープ「シャルティバルシチェイ」

ジャガイモをすりつぶした団子「ツェペリナイ」に添えられているのは、サワークリームと揚げたタマネギ&ベーコン。中にひき肉が入っている

長居したくなるような居心地のいいレストラン

古民家風レストランで味わう リトアニアの郷土料理
BERNELIU UŽEIGA
ベルネリュ・ウジェイガ

住) Valanciaus gatvė 9, Kaunas
☎ 837-200913
営) 11:00〜22:00(木曜〜23:00、金・土曜〜翌1:00)
休) なし
MAP) P180
HP) http://www.berneliuuzeiga.eu

カウナスの旧市街にある古民家風レストラン。ジャガイモ団子やソーセージ、ビーツのスープほか、ギョウザ、パンケーキなど、素朴なリトアニア料理が満喫できる。デザートもアップルパイやチーズケーキ、ミルフィユと充実。カクテルも各種揃っている。

聖ペテロ&パウロ大聖堂からほど近い場所にある

天井には古めかしいランプ、梁にはガラスのコップや陶器のカップがインテリアとして飾られていた

147　リトアニア　おいしい旅カフェ×旅ごはん

ベーカリーカフェで
スイーツ & カフェタイム
THIERRY KEPYKLA
ティエリ・ケピクラ

住) Užupio gatvė 13, Vilnius
☎) 679-09081
営) 7:30～19:00(土曜8:30～、日曜9:00～18:00)
休) なし
MAP) P132
HP) http://www.thierrykepykla.lt

2010年にオープンしたベーカリーカフェ。フランス人パティシエのティエリさんがつくるパンとスイーツは、リトアニアの人々をたちまち虜に。マカロンやケーキ、エクレアほか、ハード系のパンやペストリーも置いている。なかでも、アーモンド&チョコのクロワッサンが人気。

ペストリーの種類が豊富

モカクリームをキャラメルでコーティングした「ラファエロ」

エクレアが美味！

ホールケーキもバラエティに富んでいる

ピンクのマカロンがかわいい

テキパキと働いていた店のスタッフたち

フランス人パティシエがつくるスイーツをぜひ味わいたい

148

内装がキュートな乙女なティールーム
Pinavija
ピナヴィヤ

- 住) Vilniaus gatvė 21, Vilnius
- ☎) 676-44422
- 営) 9:00～20:00(土・日曜10:00～19:00)
- 休) なし
- MAP) P132
- HP) http://www.pinavija.lt

トラカイ地方の名物「キビナイ」やケーキ、タルト、ペストリーなどが並ぶベーカリー併設のティールーム。ケーキは量り売りで、その場で切って出してくれる。花柄の壁紙がかわいい乙女な内装で、奥にはキッズコーナーもある。お好みを選んで、ゆっくりティータイムを満喫しよう。

キビナイはラムやポーク、ビーフなどのひき肉入りほか、9種類揃う

女子好みのかわいいティールーム

キビナイやスイーツが絶品の店

ドライフルーツたっぷりの「カッテージチーズケーキ」

中にラズベリージャムが入っている!

パイ生地にカスタードクリームとラズベリージャムをはさんだ「ヴィンテージ・ナポレオンケーキ」

149　リトアニア　おいしい旅カフェ×旅ごはん

パティスリーのカフェで
リラックスした時間を

PONIŲ LAIMĖ

ポニュ・ライメ

- 住) Stiklių gatvė 14-1, Vilnius
- ☎) 526-49581
- 営) 9:00〜20:00（土曜10:00〜、日曜11:00〜19:00）
- 休) なし
- MAP) P132
- HP) http://www.stikliai.com/delicatessen-vilnius

ケーキやクッキー、マカロンがショーケースにズラリと並ぶ、パティスリー併設のカフェ。チョコレートも動物の形をしたものから、ナッツがぎっしり入ったものまで豊富に揃っている。晴れていれば、テラス席でお茶をすることも。スイーツを堪能しながら、至福の時間を楽しみたい。

アイシングクッキーがかわいい！

どれもおいしそうで迷ってしまう

ケーキのデコレーションも凝っている

ドアのペイントがメルヘン。カフェでは食事もできる

全種類食べたくなるクッキーの数々

クラシカルな店内で、ゆったりとした時間を過ごしたい

お酒のクリーム＆キャラメル入りチョコレートケーキをパンチの効いたジンジャーホットティーと一緒に

上質なベルギー製チョコレートが味わえる。ミントやオレンジピール、シナモンが入ったものなど、バリエーションに富んだチョコレートが並ぶ

上品な甘さのチョコレートにうっとり

AJ ŠOKOLADAS
アー・ヨット・ショコラダス

住) Pilies gatvė 8, Vilnius
☎) 8655-95555
営) 10:00〜22:00(土・日曜〜23:00) ※夏期〜24:00
休) なし
MAP) P132
HP) http://ajsokoladas.lt

ベルギー製のチョコレートやチョコレートケーキが満喫できるショコラティエのカフェ。マジパンやナッツクリームが入ったものなど、好みのチョコレートケーキを選んだら、クラシカルな内装のカフェで一休み。店の奥には、観賞用のチョコレートルームや大統領が来店した時の写真も。

リトアニアの大統領も来店したことがあるショコラティエ

チョコレートでできた部屋は観賞用

リトアニアの人たちの食生活が見えてくる
Halės Turgavietė
ハレス市場

- 住 Pylimo gatvė 58, Vilnius
- ☎ 526-25536
- 営 7:00〜18:00（日曜〜15:00）
- 休 月曜
- MAP P132
- HP http://www.halesturgaviete.lt

1906年に建てられたヴィリニュスで最も古い屋内市場。100周年を迎えた2006年に改修工事を行い、現在も市民の食を支えている。8400㎡の広さを誇る建物の中には肉、魚、野菜のほか、ハム、サラミなどの加工食品やパン、牛乳などのデイリー食品が並ぶ。衣料品店もわずかながら入っている。めずらしいものを見つけたら、試しに買ってみよう！

どっしりと構える市場の建物

広々としたスペースの生鮮肉のエリア

ローカル満喫！
マーケットでお買いもの

旅をする者にとって気軽に利用できる市場はありがたい存在。ヴィリニュスでは、街で最も古く、最も巨大な市場に行ってみた。地元の人たちに混じって、めずらしい食材を探すのも旅の楽しみの一つ。

衣料品店の店先では、ジーンズをこんな風にディスプレイしていた

建物の外壁に沿って、季節のフルーツや野菜を売る者も

様々な柄のスカーフが揃う

開店間もない時間だったのでまだ準備中

みずみずしいフルーツや野菜がたくさん！

脂肪たっぷりのベーコン

おいしそうな魚の加工品

丸い形をしたのは「スキランデス」というサラミ

カフェスペースもあるので、歩き疲れたらここで休憩

卵だけを販売しているコーナーも

153　リトアニア ❋ ローカル満喫！マーケットでお買いもの

リトアニア民俗生活博物館

カゴ職人の工房でたくさんのカゴに囲まれ仕事をしていたダヌウテさん

農民と町人の民俗文化

カウナスから車で約40分、ルムシュケスのカウナスラグーン沿いに1966年にオープンした野外博物館。園内のゆるやかな丘では馬が草を食み、のどかな光景が広がる。

195ヘクタールの広大な土地には、18〜20世紀までの建築物が約140棟、アウクシュタイティヤ、ジェマイティヤ、ズーキヤ、スヴァルキヤの各地域ごとに展示されている。住居や使用していた道具から、農民と町人の生活様式の違いを知るのもおもしろい。道端に立つ十字架や祠も印象的。宗教が生活に根ざしていたのがわかる。

商業施設や学校、教会などが集まった小さな町も必見。陶器や琥珀、木工、織物、カゴ製品の工房もあり、時間が合えば作業工程を見学できる。気に入ったら、その場で購入も。

祭りやフォルクローレのコンサートといったイベントもあるのでチェックしたい。

154

1940年頃のユダヤ人家庭のリビング

1817年建立の八角形の形をした教会

1920年頃のズーキヤ地方の農家のリビング

Lietuvos Liaudies Buities Muziejus
リトアニア民俗生活博物館

- 住) L.Lekavičiaus gatvė 2, Rumšiškės
- ☎) 346-47392
- 営) (5〜9月)10:00〜18:00
  (10/1〜10/14)一部建物の見学可
  (10/15〜4月)園内のみの見学
- 休) なし
- 料) 4ユーロ
- 交) カウナスのバスターミナルから、26番バスに乗って約40分、「Rumšiškės」で下車
- MAP) P6, P180
- HP) http://www.llbm.lt

きれいに修復された教会の中には二つの祭壇がある

園内には十字架や祠が点在している

キリストの祠が目の前に立つ、ジェマイティヤ地方の民家

衣料品店

20世紀初頭、カウナス郊外にあった衣料品店。1920～1940年代のシャツやソックス、布地などがディスプレイされている。当時、2階にはオーナーの住居と職人の工房があった。

1924～1940年まで衣料品店として営まれていた

昔の人はこんなに長いソックスをはいていた

毛織物の広告

糸やボタン、くしなど、こまごまとしたものが、ショーケースに収められていた

古道具

黒パンが食卓にあがるまでの作業工程を紹介する企画展を見学。展示されていた古い道具が興味深かった。

ライ麦を育て収穫し、粉にしてパンをつくるまでの様子を古い道具とともに、写真やイラストで紹介していた

パン生地をこねるときに使う道具。奥にたてかけてある「リジェー」で生地を窯に入れる

両親が農作業をしているときは、畑のそばで赤ちゃんを寝かせていた

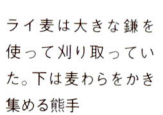

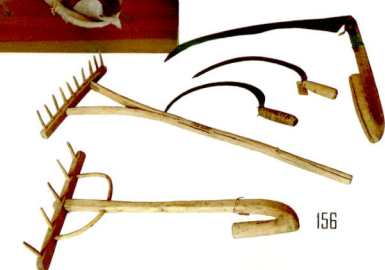

ライ麦は大きな鎌を使って刈り取っていた。下は麦わらをかき集める熊手

織物工房

カゴ工房の向かいにあったのは、リネンの織物工房。どっしりとした大きな織機と部屋の隅には糸紡ぎの道具も。織物名人のおばあちゃんの技を見せてもらった。

おばあちゃんが一人でていねいに織機を動かしていた

ショールやテーブルクロスなど、多彩なリネン製品が並ぶ

「リトアニア」と国名が織られている

ブックマークも種類豊富

カゴ工房

19世紀に建てられた養老院の建物には、職人の工房が入っている。奥の部屋をのぞくと、そこはカゴ職人の工房だった。作業を見学したあとは、小さなバスケットを購入！

花を編むのもお手のもの

丹精込めてつくられた作品の数々

ゾウの小物入れも！

十字架がきれいに編まれていた

愛国心あふれる歌と踊りの祭典

大聖堂広場で開催されたオープニングコンサート。特設ステージでは、合唱のみならず楽器演奏も披露された

祖国への想いを胸に

リトアニアの「歌と踊りの祭典」は、エストニア、ラトビアの祭典とともに、2003年ユネスコ無形文化遺産に登録された。4年に一度の開催で、2014年の来場者数は10万人。参加者は、歌い手が2万人、ダンサーが1万人、外国人も含めると総勢3万6千人にのぼった。

初めて歌の祭典が開催されたのは、1924年第二の都市カウナスでのこと。このときは、3000人が参加。踊りの祭典は、1937年にやはりカウナスで始まった。ソ連時代も中止されることなく続けられ、1956年からは外国に亡命した人たちにより、アメリカやカナダでも定期的に行われるようになる。

1991年にはソ連から独立を果たし、1994年の祭典では外国に住むリトアニア人たちも多く参加。祖国の地を再び踏むことができたことは、このうえない喜びだっただろう。

158

オープニングコンサートが終わると、鐘楼には歌と踊りの祭典のシンボルが映しだされた

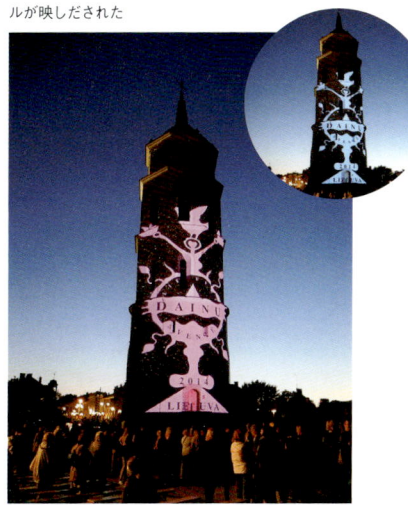

民族衣装を纏った人たちの歌声が響く

観客が広場を埋めつくしていた

ヴィンギオ公園で行われたファイナルコンサートは圧巻。最後に歌われた曲は、「Kur giria žaliuoja（緑の生い茂る森）」
(©Lithuanian Folk Culture Centre Archive)

歌の祭典

この年のテーマは「HERE IS MY HOME」。歌の祭典の90周年を祝う式典がカウナスで開催され、ヴィリニュスの大聖堂広場でオープニングコンサートが行われた。最終日には、参加者全員が大聖堂広場からヴィンギオ公園まで行進し、祭典の最後を飾るコンサートが開かれた。

王宮の中庭で披露されたモダンなダンス

カルナイ公園で行われた「アンサンブル・イヴニング」

幻想的な雰囲気を演出

アウクシュタイティヤ、ジェマイティヤ、ズーキヤ、スヴァルキヤの各地方から集まった踊り手たち

「SODAUTO」と題したダンス・ショー
(©Lithuanian Folk Culture Centre Archive)

見事なフォーメーションに胸を打たれる
(©Lithuanian Folk Culture Centre Archive)

踊りの祭典

ヴィリニュスのカルナイ公園に、リトアニア全土から踊り手と歌い手が集結し「アンサンブル・イヴニング」を開催。見ごたえのあるショーを見せてくれた。リトアニアサッカー連盟・スタジアムでも「SODAUTO」と題し、地域の伝統と慣習をベースにした踊りが披露された。

160

column
バルティカ

　1987年から続くバルト三国主催の民族フェスティバル。リトアニア、ラトビア、エストニアの順に毎年開催され、ベラルーシやウクライナ、ハンガリーなど、様々な国から集まった人たちが、伝統的なダンスや歌、楽器演奏などを披露する。

　2014年のバルティカのテーマは「幸福」。この年はリトアニアで開催され、リトアニアを始め、エストニア、ラトビア、アゼルバイジャン、ベラルーシ、グルジア、クロアチア、スリランカ、ウクライナ、ハンガリーのグループが参加。ステージで共演し、コンサートが終わると互いの国の踊りを教え合い親交を深めるといった光景も。

　ベルナルディン庭園では民芸市が開かれ、リトアニアの伝統工芸品や料理を出す露店が並ぶ。緑につつまれたミニステージでは、民族衣装を纏った男女の華麗なダンスを見ることができる。

2日めに開催されたガラ・コンサートでは、各国から招かれたグループがステージへ

子どもたちも熱唱

ハンガリーの見事な踊り

ウクライナの女性の清らかな歌声に癒される

絢爛豪華な衣装に目を奪われるクロアチアのグループ

161　リトアニア　バルティカ

リトアニアのハンドクラフト

樽やスプーン、人形、笛など様々な木工製品が並ぶ

手工芸品を探しに民芸市へ

　歌と踊りの祭典とバルティカの開催中に、ベルナルディン庭園でオープンしていた民芸市。露店には木彫りの人形や部屋を装飾するソダス、切り絵、リネン製のテーブルクロス、手織りのベルトなど、リトアニアの手工芸品が並び、訪れる客を魅了していた。デザインはもちろん、その精緻なつくりに職人たちの技術の高さを感じる。

　一方、食品やスイーツの露店では、黒パンやハチミツ、チーズほか、シャコティスと呼ばれるバームクーヘンに似たケーキなど、リトアニアの伝統の味を販売。ソーセージや豚肉、ポテトなどの料理を出す店もあって、大変なにぎわいよう。ミニステージでは、民族衣装を纏った男女が歌や踊りを披露。たくさんの人たちから喝采を浴びていた。

ビーズを編み込んだおしゃれなリストウォーマー

民芸市にはたくさんの人が集まり、この日は大統領も視察に来ていた

オリジナリティあふれる刺繍のデザイン

「Palm Sunday」のためのドライブーケをつくっているところ

レースの襟と袖口が愛らしいブラウスや刺繍が施されたスカートなど、女子が大好きなアイテムが揃う

ヴェルバと呼ばれるドライブーケは、イースター直前の日曜日「Palm Sunday」に飾る

カゴにリネンクロスを敷いてパンを入れてもOK

ナチュラルな風合いのリネン製品が並ぶ

トランクの中には素朴な手づくり人形が！

163　リトアニア ✿ リトアニアのハンドクラフト

かつて、糸紡ぎの道具として使われていたベルプステは、模様の美しさからオーナメントとして人気

陶器のピッチャーや器、笛まである

考えこむイエス・キリスト

宝ものをしまっておきたい花柄の小箱

リトアニアの伝統装飾ソダス

細部までこだわった見事な切り絵。紙をレース状にカットして窓に貼り、ミニカーテンとして利用する人も

もらったらうれしい切り絵のグリーティングカード

小鳥の笛も手づくり

164

園内では、ハンガリーのグループが軽快なダンスを披露していた

お腹が空いたら料理をテイクアウト。緑につつまれた園内でランチタイムを！

ミニステージで歌う合唱団

チーズも種類豊富

クッキーを砂糖でコーティングした、キノコの形がかわいい菓子

踊っている本人たちが何より楽しそう

パンの店ではシャコティスも販売していた

観客たちも見入っていた

誕生日や結婚式など祝いごとがあるときに出されるシャコティス

165　リトアニア ❀ リトアニアのハンドクラフト

子どもクラフトタウン

民芸市の隣では、子どもクラフトタウンがオープン！子どもたちが主体となって手工芸品のデモンストレーションを行い、大人顔負けに技を披露。作品をその場で販売している子どももいて、頼もしく感じた。

長い織機を使ってベルトを織っていく

小さなリボンは、身近にあるえんぴつや定規を使って織ることができる

子どもクラフトタウンの会場

リネンにビーズを編みこむ作業も

皆、作品づくりに夢中

リネンの原材料となるフラックスを使って装飾をつくる

ミニ織機で布を織る女の子

女の子たちが並んでデモンストレーション

木製おもちゃの遊び方の手本を見せてくれる男の子

器づくりに挑戦！

大人顔まけに仕事をこなしていた小さな鍛冶屋さん

植物や野菜などで染めつけた卵にカッターで模様を入れると、イースターエッグが完成！

167　リトアニア ❉ リトアニアのハンドクラフト

ヴィリニュスのクリスマス・マーケット

大聖堂広場のクリスマス・マーケット

見知らぬ者同士で祝うクリスマス

大聖堂広場でクリスマス・マーケットがオープンしているというので行ってみると、大きなツリーの前で一人の青年が座り込んでギターを弾いていた。すると、彼の周りにじわじわと人が集まり、皆で歌を口ずさみはじめる。そのうち、誰からともなく手をつなぎ輪になって踊りだした。見知らぬ者同士が彼のギター一つで打ち解け合うなんて、映画のワンシーンを見ているようだった。

露店には、キビナイと呼ばれるミートパイやクリスマス・イヴに食べるビスケット、クチュケイもあって、リトアニアの味を堪能。ホットワインは冷え切った身体を温めてくれた。

市庁舎広場にも大きなツリーが立ち、クリスマス・マーケットを開催。空が暗くなり始めると、ツリーや小さな露店に明かりが灯り、温かな雰囲気につつまれた。

168

Katedros Aikštė
大聖堂広場

たまたま居合わせた人たちが、ギターの音色に誘われ集まってきた

スナックやスイーツ、雑貨などの露店が軒を連ねる

馬牧場併設のレストランからも出店。カウボーイハットがよく似合っている

砂糖をからめて炒ったアーモンドを味見させてくれた

陶磁器のミニチュアハウスを売る店

ミンクやフォックスなど毛皮製品を扱う店

ミニチュアハウスの中にキャンドルを入れ、煙突にアロマオイルをたらし香りを楽しむ。お香を入れるタイプもあって、煙突から出てくる煙に癒される

169　リトアニア　ヴィリニュスのクリスマス・マーケット

パンやシャコティスも販売している

ネジやペンチなどを模したチョコレート

品揃え豊富なメッセージ入りクッキー

キビナイのほかにも、チェブラキと呼ばれるひき肉の入った揚げパイを販売

ツリー型のクッキーも

クリスマス・イヴに食べるクチュケイ

ヴォキエチュウ通りにあるレストラン「KUKU」からも出店。おいしそうなスイーツがたくさん！

様々な種類のチーズが売られていた

デコレーションがかわいくて子どもからも好評

Rotušės Aikštė
市庁舎広場

旧市庁舎の目の前にオープンした、クリスマス・マーケット

スイカやキウイの石鹸もあってカラフル！

キャンディーがどっさり

ホットチョコレートやホットワインも販売

クレープの店には人だかりが

アクセサリーを売る店も

子どもから大人までクレープが大好き

手しごとを愛する人たち

バルト海で見つかった約4kgあるこの琥珀は、5千万年前のもの

琥珀に癒されるカジミエラスさん

琥珀を知りつくした達人

リトアニアのバルト海沿岸は、琥珀が採れることで知られている。木から流れ出た樹脂が数千万という年月をかけて海中で化石となり美しい琥珀ができる。べっ甲飴のような透明感のあるものから、赤、黄、青、緑、白、黒まで、様々な色がある。なかには、昆虫や巻貝、植物などが入った琥珀もあって、これはかなり貴重なものらしい。

海岸を散歩中に偶然、琥珀を見つけ、それ以来、虜になったというカジミエラスさんに、琥珀の魅力を教わりながら、ペンダントをつくってもらうことにした。

琥珀のアクセサリーや小物、伝統的な手法で織りあげたブックマークやテーブルセンター、革のバッグやベルトなど、リトアニアが誇る工芸品は多彩。これらを手づくりする名人たちの仕事ぶりを見せてもらった。

172

琥珀を細工する工房

ヤスリや機械を使って琥珀を磨き、さらにコットンペーパーでも磨いてツヤを出す

チェーンを通す穴を開けたらペンダントが完成！

近所にはミュージアムもあり、貴重なコレクションがたくさん！

虫が入ったものは価値が高い

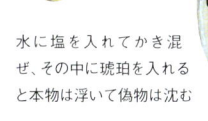

水に塩を入れてかき混ぜ、その中に琥珀を入れると本物は浮いて偽物は沈む

神秘のパワーをもつ琥珀

琥珀というとアクセサリーを思い浮かべるが、用途はいろいろ。ウォッカに入れて飲めば、胃やのどの痛みに効能があり、琥珀の粉を使ってお香やお茶を楽しんだり、マッサージで癒されたりと、実に利用範囲が広い。暖炉や焚き火に、願いごとをしながら琥珀の粉を投げ入れると、願いが叶うなどの言い伝えもある。カジミエラスさんが琥珀に魅了されたのもうなづける。

Art Center of Baltic Amber
アートセンター・オブ・バルティック・アンバー

- 住 Šv. Mykolo gatvė 12, Vilnius
- ☎ 521-20499
- 営 9:00〜18:00
- 休 なし
- MAP P132
- HP http://www.ambergallery.lt

173　リトアニア　手しごとを愛する人たち

使い慣れた織機で織りあげていくブローニェさん

代々受け継がれてきたリトアニアの伝統織物

誕生日に贈られる年齢の数字が入ったサッシュ。肩からななめに掛けて着る

注文がたくさん入り、糸の準備に大忙し

織物は、幾何学模様やユリ、チューリップなどの花模様が一般的

短冊状のボール紙にいくつもの穴が開いている紋紙は、織物の柄を織り出すためのデータ

工房には古めかしい織機が3台あった

Bronė Daškevičienė
ブローニェ・ダシュキャヴィチェニェ

住 Žydų gatvė 2-9, Vilnius
☎ 527-59116
営 10:00～16:00
休 土・日曜
MAP P132

ブローニェおばあちゃんの伝統織物

織物の先生をしていたブローニェさんは、引退後に工房をオープン。テーブルセンターやサッシュなどの伝統織物を織り続けている。15～20本のサッシュをつくるのに糸の準備などで1週間、1本織るのに3日かかるという。リネンとウールの糸を使い、幾何学模様や花模様をあしらった織物を仕上げていく。この日も、織機の前に座っていたと思ったら、あわただしく糸巻きの準備を始め、パワフルに仕事をこなしていた。

174

「セヌーユ・アマトゥ・ディルブトゥヴェ」の手工芸品マイスター。一人がナイフを磨き、もう一方が鞘に模様を彫っていた

動物の角を使ってナイフの鞘に模様を刻む

製作に必要な道具が多数揃っている

ハンドル部分に模様を施した美しいナイフ

皮革製品のマイスターであるマルティナスさんがベルトを作製中

革のベルトやバッグなど完成品が並ぶ

後世に技を伝えるマイスターたち

ショップのページで紹介した「セヌーユ・アマトゥ・ディルブトゥヴェ」(P142)には、手工芸品のマイスターがおり、作業の様子を見学するのはもちろん、自ら体験もできる。訪れたときは、ナイフの鞘とベルトをつくっているところだった。昔からの手法で、ていねいにつくられた逸品は、誰もが長く大事に使いたいと思うもの。伝統を受け継いだ者が、また次の世代へと伝えていく手工芸品は国の宝といえるだろう。

175　リトアニア ❀ 手しごとを愛する人たち

十字架の丘で祈りを捧げる

シャウレイの中心地から車で10分ほどのところにある十字架の丘で、幸せを誓い合うウエディングカップル

聖なる地を訪ねて

リトアニアの北部シャウレイには、十字架の丘と呼ばれるリトアニアの聖地がある。様々な十字架が丘を埋めつくし、その光景は圧巻。

このような十字架が立てられるようになったのは、1830年に起きた11月蜂起がきっかけだった。ロシア帝国に対する反乱で亡くなった犠牲者に祈りを捧げるため、遺族が十字架を立てたのが始まりだそう。遺体は埋められていないので墓地ではない。ソ連時代には、ソ連軍がブルドーザーで十字架をなぎ倒すということもあったが、リトアニアの人々は暴力には訴えず、すぐに十字架を立て直したという。

独立を回復した現在は、国内外から十字架を捧げる人がこの地を訪れ、その数は膨らむばかり。訪れた日が土曜日だったせいか、ウエディングカップルを何組か見かけた。撮影スポットとしても人気があるようだ。

176

どんな人がどんな想いをこめて立てたのだろう？

多彩な十字架が並ぶ

聖母マリア像に祈りを捧げる人も多くいた。十字架が山積みになっているところに、さらに十字架を捧げる

ロザリオがいくつも掛けられていた

売店では十字架や天使のオーナメントも販売していた

十字架の傍らには、かわいい天使も

177　リトアニア　✿　十字架の丘で祈りを捧げる

杉原千畝の命のビザ

当時を再現した執務室。千畝が発給したビザは2千以上といわれ、その家族を含め他国へ逃れることができたのは6千人を超える

ユダヤ人を救った杉原千畝という人

外交官だった杉原千畝が、カウナスの日本領事館に赴任したのは1939年のこと。翌年、多くのユダヤ人が日本の通過ビザを求め、領事館前に押し寄せるとは誰も想像していなかっただろう。彼らを見捨てることができなかった千畝は悩んだ末、本国の命令に背き、リトアニアを発つ直前までビザを発給し続けた。日本を通過し他国へ逃れることができたユダヤ人は、6千人にのぼる。

かつての日本領事館が現在、杉原記念館となり、彼の足跡はもちろん、ビザのおかげで他国へ亡命したユダヤ人の証言、千畝と同様ユダヤ人を救うためにビザを発給したオランダ人外交官についても紹介されている。彼の生涯を短くまとめた映像も観ることができる。人道主義と博愛精神を優先した千畝の決断が多くの命を救ったことを、日本人として誇りに思う。

窓辺には日本の折り紙が飾られていた

カウナス滞在時とその後の杉原一家の写真が展示されている

手を痛めながらもビザを書き続けた千畝の姿を想像する

Sugiharos Namai
杉原記念館

- 住) Vaižganto gatvé 30, Kaunas
- ☎) 373-32881
- 営) 5～10月は10:00～17:00(土・日曜は11:00～16:00)
  11～4月は11:00~15:00
- 休) なし(11～4月は土・日曜)
- 料) 4ユーロ
- 交) カウナス駅から徒歩15分
- MAP) P180
- HP) http://www.sugiharahouse.com

かつて日本領事館だった杉原記念館

「岐阜県にも千畝の記念館があるのよ」と教えてくれたスタッフ

記念にスタンプを押す。館内ではガイドブックやピンバッジも販売している

千畝の母校である早稲田大学が、ヴィリニュスに建立した杉原千畝の記念碑。周りには桜の木が植えられている

179　リトアニア ❀ 杉原千畝の命のビザ

180

ヴィリニュスのホテル

ヴィリニュスには、ゴージャスなホテルから、シンプルで落ち着いた雰囲気のホテルまで、バラエティに富んだホテルが揃っている。

Mabre Residence Hotel
マブレ・レジデンス・ホテル ★★★★

500年ほど前に建てられた建物は、正教会の信者や兵士たちの住居として利用されてきたが、1995年に改装を完了しホテルとしてオープン。

- 住）Maironio gatvė 13, Vilnius
- ☎）521-22087
- MAP）P132
- HP）http://www.mabre.lt

The Narutis Hotel
ナルーティス・ホテル ★★★★★

16世紀にヴィリニュス大学の宿泊施設として建てられ、現在はラグジュアリーなホテルに。かわいい内装の客室が乙女心をくすぐる。

- 住）Pilies gatvė 24, Vilnius
- ☎）521-22894
- MAP）P132
- HP）http://www.narutis.com

Domus Maria
ドムス・マリア ★★★

17世紀建築の修道院を改装したホテル。聖テレサ教会に隣接し、シンプルで心地よい客室が47室ある。広々とした中庭も魅力。

- 住）Aušros vartų gatvė 12, Vilnius
- ☎）526-44880
- MAP）P132
- HP）http://domusmaria.com

Artis Centrum Hotels
アルティス・ツェントラム・ホテル ★★★★

大統領官邸からほど近い、閑静な通りに建つホテル。19世紀建築の建物を改装し、クラシカルな客室を118室用意している。

- 住）Totorių gatvė 23, Vilnius
- ☎）526-60366
- MAP）P132
- HP）http://www.artis.centrumhotels.com

リトアニアのお土産

リネンや琥珀、カゴ製品など、リトアニアの手工芸品は温かみがあって魅力的なものばかり。家族や友人に贈ったら、きっと喜んでもらえる！

ミニチュアハウスの中にキャンドルやお香を入れて楽しむ

寒い冬には欠かせないミトン

リトアニア民俗生活博物館のカゴ職人ダヌウテさんが編んだカゴと花細工

シンデレラの人形はドレスをめくると、みすばらしい姿に変身する

ビーズを編み込んだリストウォーマー

柔軟な木の素材でできたコースター

「スノー・ホース」と名付けられた木製のオーナメント

リネン製のクロスはカゴに敷いて使う

182

重宝しそうなリネン製の小袋

織物のマイスター、ブローニェさんの手織りのブックマーク

陶器のミニ壺は、ミルクやハチミツを入れてもOK

細密な切り絵のグリーティングカード

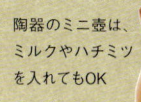

一枚は持っていたいリネンのワンピース

首元のおしゃれに！

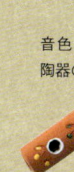

小鳥がキュートな木製の笛

音色が美しい陶器の笛

琥珀でできた天使のアクセサリーチャーム

フルーツをのせてテーブルに

民芸市で見つけた手づくりの小箱

十字架の丘の売店で購入したもの

リネンのキッチンクロス

183　リトアニア　リトアニアのお土産

バルト三国のおいしいもの

Eesti

カレヴのチョコレート Kalev Šokolaad
エストニアの老舗菓子メーカー、カレヴが「歌と踊りの祭典」のために特別販売したチョコレート

ライ麦でつくられた黒パンをこよなく愛し、豚肉やポテト、乳製品を欠かさないバルトの人々。ドイツやスウェーデン、ロシア、ポーランドなど、周辺諸国の影響を受けた素朴な料理が満載。

カマ Kama
雑穀の粉末とヨーグルトなどをミックスしたデザート

ニシンのマリネ Marineeritud heeringas
新鮮なニシンをマリネにしたもの

ヴェリヴォルスト Verivorstid
豚の血と肉、大麦を腸づめにした血のソーセージ

カリ Kāli
ライ麦を発酵させてつくる炭酸飲料

マジパン Martsipan
アーモンドの粉末と砂糖、卵白を練り合わせたスイーツ

シュルトゥ Sült
豚肉の煮こごり

アヒューカルボナード Ahjukarbonaad
豚肉の煮込み。肉がほぐれるくらいやわらか

ムルギプデ Mulgipuder
マッシュポテトに大麦を混ぜ、カリカリベーコンをトッピング

ラバルベリ・コーク Rabarberi kook
ほのかな酸味と甘味が絶妙なルバーブのケーキ

Latvija

ライマのチョコレート
Laima Šokolāde
ラトビアの老舗菓子メーカー、ライマのチョコレート

ズィルニ Zirņi
ゆでた豆に炒めたタマネギとベーコンをのせた素朴な豆料理

スクランドラウシス Sklandrausis
クルゼメ地方に伝わる、ニンジンペーストのライ麦タルト

カボチャのマリネ Marinēta Ķirbīte
カボチャをマリネにした保存食

ハチミツ Medus
バルト産の良質なハチミツは味や色も様々

ライ麦パン Rupjmaize
バルトの人たちの主食

Lietuva

ブルヴィニェイ・ブリナイ Bulviniai Blynai
ジャガイモをすりおろして焼いたジャガイモ・パンケーキ。サワークリームを添える

キビナイ Kibinai
羊や牛、豚など、ひき肉を包んで焼いたミートパイ。トラカイ地方に住むカライメ族の伝統料理

クチュケイ Kūčiukai
クリスマス・イヴに食べるケシの実の入ったビスケット。ケシの実ミルクをかけていただく

ツェペリナイ Cepelinai
ひき肉が入ったジャガイモ団子。料理名はドイツの飛行船「ツェッペリン」に由来

シャコティス Šakotis
ドイツのバームクーヘンを起源とする伝統菓子。結婚式や誕生日など祝いごとがあると出される

シャルティバルシチェイ Šaltibarščiai
ビーツやケフィアで作る冷製スープ

写真協力／ラトビア政府観光局、Vilnius Tourist Information Centre

185　バルト三国おいしいもの

旅の便利帖

バルト三国基本情報

	エストニア共和国	ラトビア共和国	リトアニア共和国
正式国名	Eesti Vabariik	Latvijas Republika	Lietuvos Republika
首都	タリン	リガ	ヴィリニュス
面積	4.5万km²	6.5万km²	6.5万km²
人口	132万人	211万人	281万人
公用語	エストニア語	ラトビア語	リトアニア語
政体	共和制		
宗教	プロテスタント（ルター派）、ロシア正教など	プロテスタント（ルター派）、カトリック、ロシア正教など	カトリック、ロシア正教など
時差	7時間、サマータイムは6時間（3月最終日曜から10月最終日曜）		
通貨	ユーロ（€）		

タリンの街で見かけた結婚式用の馬車。後方には、花嫁、花婿が乗る高級車が続く

クリスマスの時期になるとリガの市庁舎広場にはツリーがお目見えする

ヴィリニュスの街角で楽器を演奏していた女の子たち

バルト三国の交通

バルト三国へのフライトは直行便がないので、ヨーロッパやロシアなどを経由して行く。

三国間の移動は、バスや飛行機が便利。バスは無料Wi-Fiやコーヒーマシーン、トイレも完備している「LUX EXPRESS（リュクス・エクスプレス）」などがある。タリンからリガまで約4時間30分、リガからヴィリニュスまでは約4時間。飛行機は「air Baltic（エアー・バルティック）」などで、それぞれ約1時間のフライト。スケジュールに合わせて決めるとよいだろう。

また、タリンとリガ市内には、トラム、トロリーバス、バスの3つの公共交通機関があり、ヴィリニュス市内はトロリーバスとバスのみ。交通機関を利用する場合は、プリペイドカードを購入しておくと便利。タリンには「Ühiskaart（ウヒスカールト）」、リガには「e-talons（e-タロンス）」、ヴィリニュスには「VILNIEČIO KORTELĖ（ヴィリニエチオ・コルテレ）」があり、それぞれキオスクなどで購入できる。

バルト三国間をバスや飛行機などで移動し、それぞれの国の景色、文化を満喫。旧市街だけなら歩いて回れる。人との触れ合いも楽しみながら、のんびり旅をしよう！

▲タリンの交通プリペイドカード「Ühiskaart（ウヒスカールト）」

▲リガの交通プリペイドカード「e-talons（e-タロンス）」

▲ヴィリニュスの交通プリペイドカード「VILNIEČIO KORTELĖ（ヴィリニエチオ・コルテレ）」

ヴィリニュスの街を走るトロリーバス

旅の会話手帖

はい / いいえ
- 🇪🇪 Jah / Ei （ヤー／エイ）
- 🇱🇻 Jā / Nē （ヤー／ネー）
- 🇱🇹 Taip / Nè （タイプ／ネ）

バルト三国に行ったら、現地の人たちとコミュニケーションをとってみよう。挨拶を交わすだけで、旅が一層楽しいものになる！

おはよう
- 🇪🇪 Tere hommikust! （テレ ホンミックスト）
- 🇱🇻 Labrīt! （ラブリート）
- 🇱🇹 Lābas rýtas! （ラーバス リータス）

こんにちは
- 🇪🇪 Tere / Tere päevast （テレ／テレ パエヴァスト）
- 🇱🇻 Sveiki / Labdíen （スヴェイキ／ラブディエン）
- 🇱🇹 Labas / Labà dienà （ラバス／ラバ ディエナ）

こんばんは
- 🇪🇪 Tere õhtust （テレ オフトゥスト）
- 🇱🇻 Labvakar （ラブヴァッカール）
- 🇱🇹 Lābas vākaras （ラーバス ヴァーカラス）

おやすみなさい
- 🇪🇪 Head ööd （ヘアト オート）
- 🇱🇻 Ar labu nakti （アル ラブ ナクティ）
- 🇱🇹 Labānakt （ラバーナクトゥ）

さようなら
- 🇪🇪 Head aega （ヘアト アエカ）
- 🇱🇻 Uz redzēšanos （ウズ レゼーシャヌアス）
- 🇱🇹 Viso gero （ヴィソ ギャーロ）

お会いできてうれしいです
- 🇪🇪 Väga meeldiv （ヴァカ メールティブ）
- 🇱🇻 Patīkami iepazīties （パティーカミ イアパズィーテイアス）
- 🇱🇹 Labai malonu （ラバイ マローノ）

あなたのお名前は？
- 🇪🇪 Kuidas Teie nimi on? （クイダス ティエ ニミ オン）
- 🇱🇻 Kā jūs sauc? （カー ユース サウツ）
- 🇱🇹 Koks jūsų vardas? （コクス ユースー ヴァルダス）

私の名前はSannaです / 私は日本人です
- 🇪🇪 Minu nimi on Sanna / Mina olen Jaapanlane （ミヌ ニミ オン サナ／ミナ オレン ヤーパンラネ）
- 🇱🇻 Mani sauc Sanna / Es esmu Japāniete （マニ サウツ サナ／エス アスム ヤパーニエテ）
- 🇱🇹 Mano vardas yra Sanna / Aš esu Japonė （マノ ヴァルダス イラ サナ／アシュ エス ヤポーニェ）

188

Tere!

🟦 エストニア　🟥 ラトビア　🟨 リトアニア

ありがとう

- 🟦 Aitäh（アイタ）
- 🟥 Paldies（パルディエス）
- 🟨 Ačiū（アチュウ）

どういたしまして

- 🟦 Pole tänu väärt（ポレ タヌ ワールト）
- 🟥 Nav par ko（ナウ パル クァ）
- 🟨 Nėra už ką（ニェラ ウシュ カー）

バルト・ホテルはどこですか？

- 🟦 Kus on Balti hotell?（クス オン バルティ ホテル）
- 🟥 Kur ir Baltijas viesnīca?（クル イル バルティヤス ヴィエスニーツァ）
- 🟨 Kur yra Baltijos viešbutis？（クル イラ バルティオス ヴィエシブティス）

バルト・ホテルに行きたいです

- 🟦 Ma tahan minna Balti hotell（マ タハン ミンナ バルティ ホテル）
- 🟥 Es gribu braukt uz Baltijas viesnīca（エス グリーブ ブラウクトゥ ウズ バルティヤス ヴィエスニーツァ）
- 🟨 Aš noriu važiuoti į Baltijos viešbutis（アシュ ノリュ ヴァジウオティー イー バルティオス ヴィエシブティス）

これは何ですか？

- 🟦 Mis see on?（ミス セー オン）
- 🟥 Kas tas ir?（カス タス イル）
- 🟨 Kas tas yra?（カス タス イラ）

いくらですか？

- 🟦 Kui palju maksab?（クイ パリュウ マクサブ）
- 🟥 Cik maksā?（ツィック マクサー）
- 🟨 Kiek kainuoja?（キィアク カイノウヤ）

おすすめは何ですか？

- 🟦 Mida te soovitate?（ミタ テ ソーヴィタッテ）
- 🟥 Ko jūs iesakāt？（クオ ユース イエサカーット）
- 🟨 Ką jūs siulote？（カー ユース スュローテ）

おいしいです！

- 🟦 Maitsev!（マイッツェヴ）
- 🟥 Garšīgi!（ガルシーギ）
- 🟨 Skanus!（スカノー）

旅の会話手帖

あとがき

バルト三国の旅を終え普段の生活に戻った今でも、現地で出会った人たちのことを時々、懐かしく思い出す。エストニアの歌と踊りの祭典でガイドをしてくれたボランティアの青年、おしゃれなカフェに案内してくれた女性、道を尋ねると一緒にバスに乗って目的地まで連れて行ってくれた老婦人、様々な顔が思い浮かび、そのときの光景が鮮明に蘇る。旅先ではいつも人に助けられ、振り返る度、心に灯りがともるような温かさを感じる。

出版にあたっては、前回のスウェーデンの本と同様、書肆侃侃房の池田雪さん、クワズイモデザインルームの川上夏子さんにお世話になった。出産、育児と大変な時期に本づくりにご尽力いただいた池田さん、今回もデザインを担当してくださった川上さんお二人に心よりお礼を申し上げたい。そして、多くの方たちの協力があってこの本が完成したことをありがたく思うとともに、本の制作に関わってくださったすべての方に感謝の意を捧げたい。

2016年2月 Sanna

190

Sanna（サナ）

〈プロフィール〉
新潟県生まれ、東京都台東区在住。立教大学法学部卒業。出版社勤務などを経てフリーライターに。ムックやガイドブック、雑誌などに、旅や街歩きほか、グルメ、輸入住宅の記事を寄稿。人物インタビューも行う。これまでに訪れた国は約65カ国。旅先での人との出会いが一番の楽しみ。著書に『スウェーデン 森に遊び街を歩く』（書肆侃侃房）がある。

ブックデザイン	川上夏子（クワズイモデザインルーム）
写真	Sanna
写真協力	ラトビア政府観光局
	Vilnius Tourist Information Centre
	Lithuanian Folk Culture Centre Archive
制作協力	Estonian Tourist Board
	Estonian Song and Dance Celebration Foundation
	ラトビア政府観光局
	Vilnius Tourism & Convention Bureau
編集	池田雪（書肆侃侃房）

本書のデータは2019年2月現在のものです。内容は変更されることがありますのでご了承ください。

KanKanTrip13
バルト三国
愛しきエストニア、ラトビア、リトアニアへ

2016年3月18日　第1版第1刷発行
2019年3月21日　第2版第1刷発行（3刷）

著　者　Sanna
発行者　田島安江
発行所　株式会社 書肆侃侃房（しょしかんかんぼう）
　　　　〒810-0041 福岡市中央区大名2-8-18-501
　　　　TEL 092-735-2802　FAX 092-735-2792
　　　　http://www.kankanbou.com
　　　　info@kankanbou.com

印刷・製本　大同印刷株式会社

©Sanna 2016 Printed in Japan
ISBN978-4-86385-216-7　C0026

落丁・乱丁本は送料小社負担にてお取り替え致します。本書の一部または全部の複写（コピー）・複製・転訳載および磁気などの記録媒体への入力などは、著作権法上での例外を除き、禁じます。

KanKanTripの本

書肆侃侃房の紀行ガイドシリーズです。著者が歩いて感じた旅の雰囲気が伝わるような本になっています。読むだけで楽しめるように、写真もふんだんに盛り込みました。地図や基本情報などの簡単な旅のガイドもついています。

KanKanTrip 1　インド北方のチベット仏教僧院巡りと湖水の郷へ
「ラダックと湖水の郷カシミール」大西 久恵
A5／並製／144ページオールカラー
本体1,500円+税／ISBN978-4-86385-058-3

KanKanTrip 2　ヨーロッパ最後の中世
「ルーマニア、遥かなる中世へ」三尾 章子
A5／並製／160ページオールカラー
本体1,500円+税／ISBN978-4-86385-095-8

KanKanTrip 3　50の教会。そこに物語があった
「イギリスの小さな教会」大澤 麻衣
A5／並製／192ページオールカラー
本体1,600円+税／ISBN978-4-86385-101-6

KanKanTrip 4　ポルトガルの小さな古都
「リスボン 坂と花の路地を抜けて」青目 海
A5／並製／160ページオールカラー
本体1,500円+税／ISBN978-4-86385-110-8

KanKanTrip 5　フィーカしよう!
「スウェーデン 森に遊び街を歩く」Sanna
A5／並製／160ページオールカラー
本体1,500円+税／ISBN978-4-86385-116-0

KanKanTrip 6　その青に心を奪われる
「ニューカレドニア 美しきラグーンと優しき人々」前野 りりえ
A5／並製／160ページオールカラー
本体1,500円+税／ISBN978-4-86385-142-9

KanKanTrip 7　住んで旅した台湾
「台湾環島 南風のスケッチ」大洞 敦史
A5／並製／192ページオールカラー
本体1,600円+税／ISBN978-4-86385-146-7

KanKanTrip 8　おとぎの旅へ
「イギリス鉄道でめぐるファンタジーの旅」河野 友見
A5／並製／176ページオールカラー
本体1,500円+税／ISBN978-4-86385-150-4

KanKanTrip 9　四川の食べ歩きガイド
「涙を流し口から火をふく、四川料理の旅」中川 正道／張 勇
A5／並製／176ページオールカラー
本体1,500円+税／ISBN978-4-86385-152-8

KanKanTrip 10　厚い人情と励ましと
「90日間ヨーロッパ歩き旅」塚口 肇
A5／並製／192ページオールカラー
本体1,600円+税／ISBN978-4-86385-154-2

KanKanTrip 11　人生で一番の「遺産」に
「カンボジア・ベトナム・ラオス
　長距離バスでめぐる世界遺産の旅」江濱 丈裕
A5／並製／192ページオールカラー
本体1,600円+税／ISBN978-4-86385-188-7

KanKanTrip 12　昭和が薫り立つ
「韓国に遺る日本の建物を訪ねて」やまだトシヒデ
A5／並製／160ページオールカラー
本体1,500円+税／ISBN978-4-86385-194-8

KanKanTrip 13　伝統手工芸の聖地
「バルト三国 愛しきエストニア、ラトビア、リトアニアへ」Sanna
A5／並製／192ページオールカラー
本体1,600円+税／ISBN978-4-86385-216-7

KanKanTrip 14　今と昔を旅に出る
「おとなの釜山 歴史の迷宮へ」吉貝渉・吉貝悠
A5／並製／176ページオールカラー
本体1,500円+税／ISBN978-4-86385-231-0

KanKanTrip 15　愛しきポルトガル
「光の街、リスボンを歩く」オノリオ悦子・岸澤克俊
A5／並製／160ページオールカラー
本体1,500円+税／ISBN978-4-86385-249-5

KanKanTrip 16　甘美なる夢の世界へ
「麗しのウィーン、音に魅かれて」徳永千帆子
A5／並製／160ページオールカラー
本体1,500円+税／ISBN978-4-86385-256-3

KanKanTrip 17　花と笑顔に包まれて
「聖地サンティアゴへ、星の巡礼路を歩く」戸谷美津子
A5／並製／192ページオールカラー
本体1,600円+税／ISBN978-4-86385-265-5

KanKanTrip 18　魅惑のマラケシュ
「モロッコ 邸宅リヤドで暮らすように旅をする」YUKA
A5／並製／160ページオールカラー
本体1,500円+税／ISBN978-4-86385-281-5

KanKanTrip 19　初めてのチベットへ
「汗と涙と煩悩のチベット・ネパール・インド絵日記」安樂瑛子
A5／並製／192ページオールカラー
本体1,600円+税／ISBN978-4-86385-288-4

KanKanTrip 20　絵で見る大台南
「来た見た食うた ヤマサキ兄妹的 大台南見聞録」ヤマサキタツヤ
A5／並製／176ページオールカラー
本体1,600円+税／ISBN978-4-86385-312-6

KanKanTrip 21　バルカンの地へ
「ブルガリア 悠久の時を刻む」Sanna
A5／並製／176ページオールカラー
本体1,600円+税／ISBN978-4-86385-358-4

KanKanTrip Life

KanKanTrip Life 1　小さな漁師町で過ごした思い出の小箱
「ポルトガル物語 漁師町の春夏秋冬」青目 海
A5／並製／176ページオールカラー
本体1,600円+税／ISBN978-4-86385-264-8

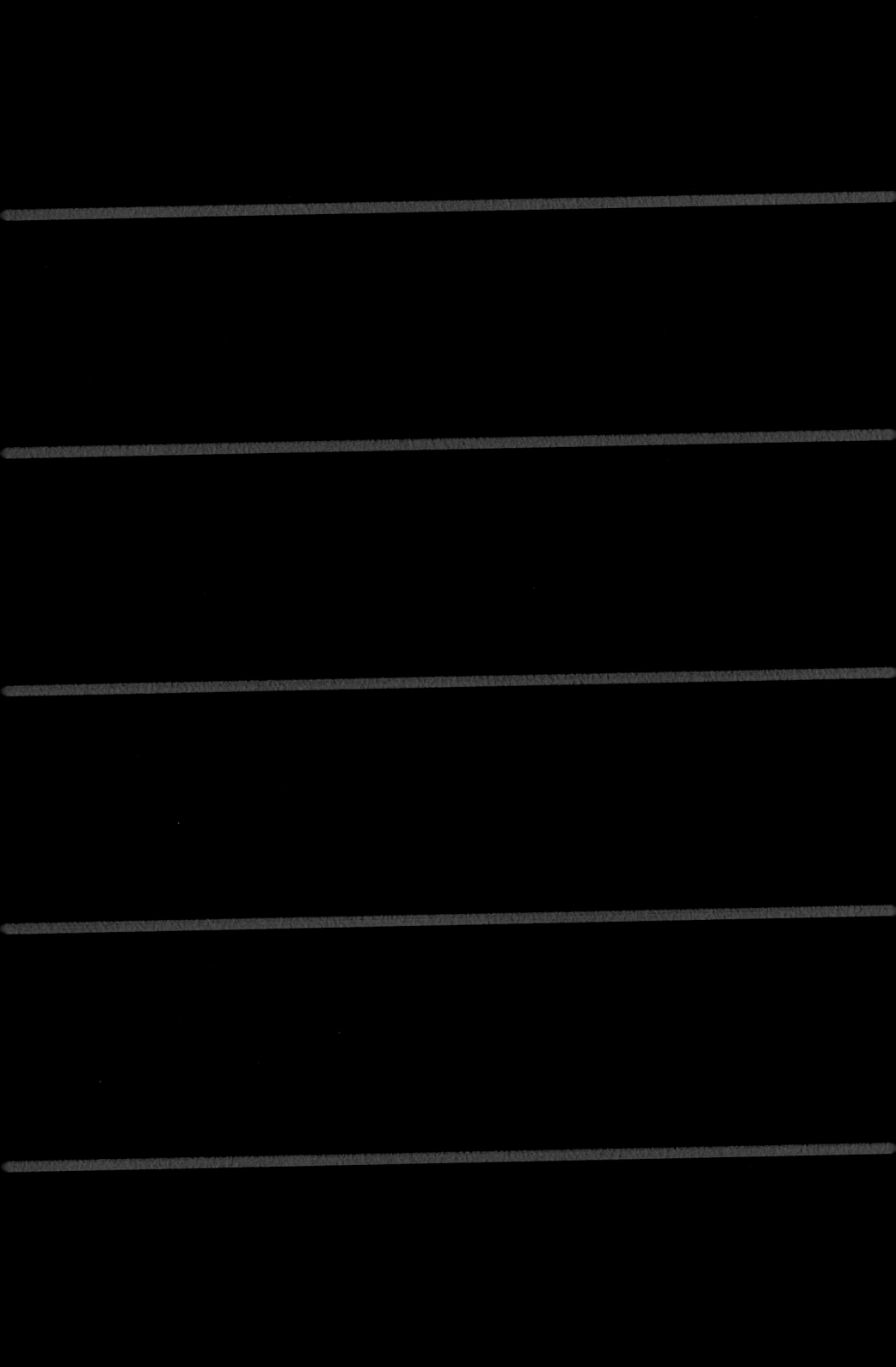